“CAT PERSON” E OUTROS CONTOS

KRISTEN ROUPENIAN

“Cat Person” e outros contos

Tradução
Ana Guadalupe

Grafia atualizada segundo o Acordo Ortográfico da Língua Portuguesa de 1990, que entrou em vigor no Brasil em 2009.

Título original
You Know You Want This: "Cat Person" and Other Stories

Capa e ilustração de capa
Claudia Espínola de Carvalho

Preparação
Ana Martini

Revisão
Carmen T. S. Costa
Adriana Bairrada

Dados Internacionais de Catalogação na Publicação (CIP)
(Câmara Brasileira do Livro, SP, Brasil)

Roupenian, Kristen
"Cat person" e outros contos / Kristen Roupenian ; tradução Ana Guadalupe. — 1ª ed. — São Paulo : Companhia das Letras, 2019.

Título original: You Know You Want This: "Cat Person" and Other Stories.
ISBN 978-85-359-3195-2

1. Contos norte-americanos I. Título.

18-23022 CDD-813

Índice para catálogo sistemático:
1. Contos : Literatura norte-americana 813

Iolanda Rodrigues Biode – Bibliotecária – CRB-8/10014

[2019]

EDITORA SCHWARCZ S.A.
Rua Bandeira Paulista, 702, cj. 32
04532-002 — São Paulo — SP
Telefone: (11) 3707-3500
www.companhiadasletras.com.br
www.blogdacompanhia.com.br
facebook.com/companhiadasletras
instagram.com/companhiadasletras
twitter.com/cialetras

Muito obrigada aos veículos que publicaram estes contos pela primeira vez, alguns de forma reduzida: "Seu safadinho", na *Body Parts Magazine*; "Cat Person", na *New Yorker*; "Não se machuque", na *Writer's Digest*; e "Os corredores noturnos", na *Colorado Review*. Agradeço também à Hopwood Foundation pelo apoio concedido aos contos "Os corredores noturnos" e "O sinal da caixa de fósforos".

À minha mãe, Carol Roupenian,
que me ensinou a amar o que me assusta

Sumário

Ele fala
Que tem um troço balançando
dentro do seu peito

e não é um coração

É branco feito bucho de vaca
& tem fibras & tem guelras
Lara Glenum, "Pulchritude"

Seu safadinho

Nosso amigo veio aqui uma noite dessas. Ele e aquela namorada péssima tinham finalmente terminado. Era o terceiro término com essa namorada específica, mas ele garantiu que dessa vez não tinha volta. Ficou andando de um lado para o outro na cozinha, falando sem parar dos milhares de picuinhas e humilhações dos seis meses de relacionamento, e a gente demonstrou surpresa e reclamou e contorceu o rosto para fazer uma cara compreensiva. Quando ele foi ao banheiro para se recompor, despencamos um sobre o outro, revirando os olhos e fingindo que nos enforcávamos e dávamos um tiro na cabeça. Comentamos que ficar ouvindo o nosso amigo reclamar de cada detalhe do término do namoro era tipo ouvir um alcoólatra choramingando por estar de ressaca: sim, o sofrimento era real, mas, meu Deus, como era difícil sentir compaixão por alguém com tão pouca consciência da causa dos próprios problemas. Até quando o nosso amigo ia namorar pessoas péssimas e depois fingir surpresa quando elas o tratassem de um jeito péssimo?, a gente se perguntava. Aí ele saiu do banheiro e nós lhe servimos o quarto drinque da noite e dissemos que ele estava bêbado demais para dirigir de volta pra casa, mas que podia ficar à vontade para dormir no sofá.

Naquela noite, ficamos deitados na cama conversando sobre o nosso amigo. Reclamamos que o nosso apartamento era pequeno demais e que era impossível transar sem que ele ouvisse. A gente podia tentar mesmo assim, comentamos — vai ser o mais perto que ele vai chegar de transar em meses. (Negar sexo tinha sido uma das estratégias de manipulação da namorada péssima.) Talvez ele curtisse.

Na manhã seguinte, quando levantamos para ir trabalhar, nosso amigo ainda estava dormindo, com a camisa meio aberta. Estava cercado de latinhas de cerveja amassadas e era óbvio que tinha continuado a beber sozinho por muito tempo depois de irmos para a cama. Ele pareceu tão patético ali caído que sentimos remorso pelo nível de crueldade dos comentários que fizemos sobre ele na noite anterior. Preparamos café a mais, lhe servimos café da manhã e dissemos que ele podia ficar conosco quanto tempo quisesse, mas quando voltamos para casa não deixamos de ficar surpresos ao encontrá-lo no sofá.

Nós o fizemos levantar e tomar um banho, depois o levamos para comer num restaurante, e durante o jantar o proibimos de falar sobre o término. Para compensar, fomos adoráveis. Gargalhamos de todas as suas piadas, pedimos uma segunda garrafa de vinho e demos conselhos sobre a vida. Você merece uma pessoa que te faça feliz, dissemos. Um relacionamento saudável com alguém que te ame, continuamos, e nos entreolhamos com gratidão antes de voltar a dedicar atenção integral a ele. Ele parecia um cachorrinho triste, louco pra ganhar um agrado e um elogio, e foi bom vê-lo aproveitando; queríamos fazer carinho na cabeça dele e dar uma coçadinha atrás da orelha e ficar admirando enquanto ele se chacoalhava todo.

Quando saímos do restaurante, estávamos nos divertindo

tanto que convidamos o nosso amigo para ir à nossa casa conosco. Assim que chegamos, ele perguntou se podia dormir no sofá de novo, e não precisamos pressioná-lo muito para ele admitir que não estava gostando de ficar sozinho na casa dele porque a casa o lembrava da namorada péssima. Nós dissemos que, claro, ele podia ficar quanto tempo quisesse, a gente tem um sofá-cama, está aí pra isso. Mas pelas costas dele nos entreolhamos com cara de desgosto, porque, mesmo que a gente quisesse ser legal com ele, não íamos aguentar mais uma noite sem sexo — primeiro porque estávamos bêbados, e depois porque ficar jogando charme a noite toda meio que tinha deixado a gente com tesão. Então fomos deitar, e é provável que até o nosso jeito de dar boa-noite para ele tenha deixado bem claro que íamos trepar. No começo tentamos não fazer muito barulho, mas logo notamos que as nossas tentativas de ficar em silêncio e as risadinhas e os pedidos para o outro ficar quieto provavelmente chamavam mais atenção para o que estávamos fazendo do que se fizéssemos do jeito normal, então começamos a fazer o que dava vontade e tivemos que admitir que estávamos meio que curtindo aquilo de saber que ele estava lá fora, ouvindo a gente no escuro.

Na manhã seguinte, estávamos um pouco constrangidos, mas nos convencemos de que, sei lá, talvez aquele fosse o empurrão de que ele precisava para sair do ninho e voltar para a casa dele, e talvez fosse até uma motivação para que ele arranjasse uma namorada que transasse com ele mais de uma vez por bimestre. Mas naquele dia à tarde ele nos enviou uma mensagem de texto e perguntou o que íamos fazer à noite, e de repente ele estava dormindo na nossa casa quase todas as noites da semana.

Servíamos jantar para ele, e depois íamos os três de carro para algum lugar, nós dois na frente, ele sempre no banco de trás. A gente brincava que ia começar a dar mesada para ele, a delegar tarefas domésticas para ele; a gente brincava que devia mudar nosso plano de celular para incluí-lo no plano família, já que passávamos tanto tempo juntos. Além do mais, nós dizíamos, assim a gente ia conseguir ficar de olho nele para não deixar que mandasse mensagens para a ex-namorada péssima, porque apesar de terem terminado eles ainda se falavam e ele vivia no celular. Ele prometia que ia parar, jurava que sabia que aquilo fazia mal, mas logo em seguida voltava a trocar mensagens com ela. Só que, na maior parte do tempo, a gente adorava a companhia dele. A gente gostava de pegar no pé dele e de cuidar dele e de dar bronca nele quando tomava atitudes irresponsáveis como enviar mensagens para aquela ex-namorada péssima ou faltar ao trabalho porque tinha ficado acordado até tarde na noite anterior.

Continuamos transando apesar da presença dele no apartamento. Na verdade, o sexo nunca tinha sido tão bom. Virou o ponto central de uma fantasia compartilhada, imaginá-lo do lado de fora com o ouvido encostado na parede, transtornado de inveja e excitação e culpa. Não sabíamos se isso era verdade — talvez ele cobrisse a cabeça com o travesseiro e tentasse nos ignorar; talvez as paredes tivessem mais isolamento acústico do que pensávamos —, mas fazíamos de conta entre nós, e desafiávamos um ao outro a sair do quarto ainda corados e ofegantes para pegar um copo d'água na geladeira e ver se ele estava acordado. Se ele estivesse (sempre estava), puxávamos qualquer assunto corriqueiro com ele e voltávamos correndo para a cama para rir da situação e trepar de novo com ainda mais urgência do que da primeira vez.

Ficamos tão empolgados com aquele jogo que começamos a avançar, saindo do quarto seminus ou de toalha, deixando a porta ligeiramente aberta, ou um pouco mais. Numa manhã, depois de uma noite particularmente barulhenta, resolvemos provocá-lo perguntando se tinha dormido bem e se tinha sonhado com alguma coisa, e ele ficou olhando para o chão e disse: não lembro.

A ideia de que ele quisesse se juntar a nós na cama era só uma fantasia, mas com o tempo, estranhamente, começamos a ficar um pouco incomodados com o comportamento tão recatado do nosso amigo. Sabíamos que, para que alguma coisa acontecesse, teríamos que dar o primeiro passo. Primeiro porque éramos a maioria, segundo porque a casa era nossa e terceiro porque era assim que as coisas funcionavam entre nós: a gente mandava e ele obedecia. Mas, mesmo assim, nos permitimos ficar irritados com ele, enchendo o saco dele, botando a culpa pelos nossos desejos frustrados nele e o provocando com um pouco mais de crueldade do que antes.

Quando é que você vai arranjar uma namorada nova?, perguntamos a ele. Meu Deus, faz tanto tempo, você deve estar subindo pelas paredes. Você não tá batendo uma no nosso sofá, né? Espero que você não esteja batendo uma no nosso sofá. Antes de irmos dormir, ficávamos em pé com os braços cruzados, como se estivéssemos bravos com ele, e dizíamos: é melhor você se comportar aí, esse sofá é muito bom, a gente não quer ver nenhuma mancha nele amanhã de manhã. Chegávamos até a fazer menção à piada, vagamente, na frente de outras pessoas e mulheres bonitas. Conta pra ela, a gente dizia. Conta pra ela do sofá que você adora, você adora ficar lá, né? E ele se encolhia todo e fazia que sim e dizia: é, adoro mesmo.

Aí teve uma noite em que nós todos ficamos bêbados, muito bêbados, e começamos a forçar a barra ainda mais, insistindo para ele admitir: vai, você não para, né, você fica aqui fora mandando ver, ouvindo a gente, seu tarado, você acha que a gente não sabe? E aí ficamos paralisados por um segundo porque foi a primeira vez que falamos em voz alta e sabíamos que ele podia ouvir, e não tínhamos exatamente decidido entregar essa informação. Mas ele não disse nada, então a gente pegou ainda mais pesado — a gente ouve tudo, nós dissemos, sacudindo nossas cervejas na direção dele, a gente ouve você respirando alto e o sofá rangendo, você deve ficar na porta um tempão espiando a gente, sei lá, tudo bem, a gente não liga, a gente sabe que você tá desesperado, mas, meu Deus, para de mentir, por favor. Aí demos risada, alto demais, e bebemos mais uma rodada de *shots*, e aí outra piada começou, e a piada era que, já que ele tinha nos espiado dezenas de vezes, nada mais justo do que deixar que nós também o espiássemos. Ele tinha que mostrar pra gente, ele tinha que mostrar pra gente o que andava fazendo neste sofá, o *nosso* sofá, quando não estávamos por perto. Pelo que pareceram horas, debochamos dele e o alfinetamos e o provocamos, e ele foi ficando cada vez mais atordoado, mas não levantou, continuou grudado em seu lugar no sofá e quando finalmente começou a abrir o zíper da calça jeans nós sentimos uma adrenalina que não tinha comparação. Ficamos olhando para ele até não aguentarmos mais e aí fomos cambaleando para o quarto e transamos de porta aberta, mas não o convidamos a se aproximar, daquela primeira vez; queríamos que ele nos assistisse do lado de fora, olhando lá dentro.

A manhã seguinte foi delicada, mas nossa forma de lidar com a situação foi declarar que tínhamos ficado bêbados demais, meu Deus, completamente destruídos. Ele saiu depois do café da manhã e desapareceu por três dias, mas na quarta noite enviamos uma mensagem para ele e fomos todos ver um filme, e na quinta noite ele veio à nossa casa. Não falamos da piada, nem do que tinha acontecido entre nós, mas o simples fato de estarmos todos bebendo juntos, sozinhos, parecia dar a entender que ia acontecer de novo. Bebemos com firmeza, sérios, e a cada hora que passava a tensão aumentava, assim como a nossa certeza de que ele estava disposto, até que afinal nós dissemos: Vai para o nosso quarto e espera a gente. Depois que ele foi, demoramos muito tempo para terminar as bebidas, saboreando cada gole antes de deixar os copos de lado e ir atrás dele.

Inventamos regras para o que ele podia ou não podia fazer, o que ele podia ou não podia tocar. Em geral ele não podia fazer nada; em geral ele podia assistir, e às vezes não podia nem isso. Éramos tiranos; boa parte do nosso prazer residia em criar as regras e mudar as regras e ver como ele reagia. De início, o que acontecia naquelas noites era uma coisa estranha e inconfessável, uma bolha debilmente pendurada nas bordas da vida real, mas aí, mais ou menos uma semana depois de ter começado, criamos a primeira regra que ele precisava seguir durante o dia, e de repente o mundo se abriu e revelou um infinito de possibilidades.

No começo, as coisas que pedíamos eram as coisas que sempre pedimos a ele: para levantar, tomar banho, fazer a barba, parar de mandar mensagem para aquela garota péssima. Mas, agora, cada instrução trazia um estalido elétrico, um brilho no ar. Fomos além: ele tinha que ir ao shopping comprar roupas melhores, mas escolhidas por nós; ele tinha que cortar o cabelo; ele tinha que fazer o café da manhã pra gente; ele tinha que limpar o chão perto do sofá onde dormia; fizemos uma agenda para ele e começamos a dividi-la em seções cada vez mais exatas, e de repente ele só dormia, comia e mijava quando a gente mandava. Parece cruel, falando assim, e talvez fosse mesmo, mas ele se submetia sem reclamar e, por um tempo, ele floresceu sob nossos cuidados.

A gente adorava a vontade que ele tinha de agradar, mas aí, aos poucos, aquilo começou a nos deixar irritados. No aspecto sexual era frustrante, aquela tendência infalível à obediência; uma vez que ele se adaptou àquele novo padrão, não havia nem sinal da fricção e da incerteza daquela primeira noite de vertigem. Não muito depois as provocações começaram de novo; as piadas sobre nós dois sermos os pais e ele o bebezão, sobre o que ele tinha permissão para fazer no sofá ou não. Começamos a criar regras que eram impossíveis de seguir e a instituir pequenos castigos quando ele as quebrava; seu safadinho, nós provocávamos. Olha o que você fez. Aquilo nos manteve entretidos por um tempo. Éramos diabolicamente criativos com os castigos, e depois eles também começaram a se intensificar.

Nós o flagramos escrevendo para aquela garota péssima e, quando confiscamos seu celular, descobrimos que ele vinha se comunicando com ela aquele tempo todo, depois de ter prometido — jurado! — que eles tinham terminado. Não tinha graça nenhuma a raiva que experimentamos naquele momento, a sensação de termos sido traídos. Nós o colocamos do outro lado da mesa, de frente para nós. Olha, nós dissemos, você não tem que ficar aqui com a gente, ninguém tá te obrigando, pode voltar pra sua casa se quiser, sério, a gente tá pouco se fodendo.

Desculpa, ele disse, eu sei que ela me faz mal, não é isso que eu quero. Ele começou a chorar. Desculpa, repetiu, por favor, não me mandem embora.

Beleza, nós dissemos, mas o que fizemos com ele naquela noite foi demais até para nós dois, e na manhã seguinte sentimos nojo de nós mesmos e só de olhar para ele já ficávamos um pouco enjoados. Pedimos que ele voltasse para casa e dissemos que entraríamos em contato quando quiséssemos falar com ele de novo.

Assim que ele foi embora, porém, ficamos tão entediados que foi quase insuportável. Conseguimos aguentar dois dias, mas, sem ele por perto nos observando, nos sentimos tão chatos e inúteis que quase parecia que não existíamos mais. Passávamos a maior parte do tempo falando dele, fazendo especulações sobre o que havia de errado com ele, sobre todos os sinais de que ele era doente, e então prometemos a nós mesmos que, se íamos mesmo fazer aquilo, o que quer que aquilo fosse, faríamos de forma respeitosa, com reuniões em casa e palavras cautelosas e encontros marcados de poliamor. E no terceiro dia pedimos que ele voltasse. As intenções eram as melhores, mas todos ficamos tão horrivelmente cordiais e desconfortáveis uns com os outros que no fim das contas o único jeito de expurgar a tensão foi ir para o quarto fazer um repeteco de todas as coisas que tinham nos deixado tão enojados três dias antes.

Dali em diante a gente só piorou. Ele era como uma coisa escorregadia que tínhamos agarrado com a mão e, quanto mais a gente esmagava, mais ele escapava entre os dedos. Buscávamos dentro dele algo que nos revoltasse, mas virávamos cães raivosos só de sentir o cheiro. Fazíamos experiências — com dor e hematomas, correntes e brinquedos — e depois caíamos num emaranhado de membros moles, misturados, como o lixo que o mar deixa na areia depois da chuva. Havia uma espécie de paz nesses momentos, no silêncio do quarto interrompido apenas pelas nossas respirações vagarosas e sobrepostas. Mas aí o expulsávamos para ficar sozinhos, e não demorava para que a necessidade de destruí-lo voltasse a crescer dentro de nós. Não importava o que fizéssemos, ele nunca nos impedia. Não importava o que exigíssemos, ele nunca, jamais dizia não.

Para nos proteger, o isolamos à margem de nossa vida. Paramos de sair com ele, paramos de jantar com ele, paramos de falar com ele. Retornávamos as ligações dele convocando-o apenas para sexo, sessões violentas de três, quatro, cinco horas, e depois o mandávamos de volta para casa. Exigíamos que ele ficasse disponível para nós o tempo todo, e o empurrávamos pra lá e pra cá como um ioiô: vai, vem, vai, vem. Havia séculos nenhum dos nossos amigos tinha notícias da gente; o trabalho era um lugar aonde íamos para espairecer e tirar um cochilo. Quando ele não estava na nossa casa, ficávamos olhando um para o outro, absolutamente esgotados, com o mesmo filme pornô desbotado passando sem parar na cabeça.

Até que um dia ele parou de responder nossas mensagens de imediato. Primeiro foi um atraso de cinco minutos, depois dez, depois uma hora e depois, por fim, *acho que hoje eu não consigo, desculpa, tô muito confuso*.

Aí a gente perdeu o controle. A gente ficou louco. Saímos pisando duro pelo apartamento, soluçando, quebrando copos e gritando: o que é que ele tem na cabeça, caralho, ele não pode fazer isso com a gente. Não podíamos voltar ao que era antes, nós dois, sexo comum e monótono no quarto sem ninguém assistindo, sem nada para roer e rasgar a não ser nós mesmos. Acabamos entrando num frenesi e ligamos pra ele vinte vezes, mas ele não atendeu, e finalmente decidimos: não, isso é intolerável, a gente vai lá, ele não pode se esconder da gente, a gente vai descobrir que porra que tá acontecendo. Estávamos furiosos, mas misturada à raiva havia uma empolgação caótica, a emoção quase da caçada: a consciência de que alguma coisa explosiva e irreversível estava prestes a rolar.

Vimos o carro dele estacionado na frente do prédio onde morava, e a luz do quarto estava acesa. Da rua, ligamos pra ele de novo, mas de novo ele não atendeu, e, como tínhamos uma cópia da chave desde a época em que molhávamos as plantas e recebíamos a correspondência uns dos outros, decidimos entrar.

Lá estavam eles, no quarto, nosso amigo e a garota péssima. Estavam pelados, e ele estava por cima, metendo sem parar. Aquilo pareceu tão ridiculamente simples depois de tudo que tínhamos passado que nossa primeira reação foi dar risada.

Ela nos viu antes que ele e soltou um gritinho de surpresa. Ele rolou para o lado e abriu a boca, mas não emitiu nenhum som. A cara apavorada que ele fez nos deixou um pouco mais tranquilos, mas aquilo era uma gota d'água num incêndio. A namorada tentou se cobrir num movimento atrapalhado, e seu gemido horrorizado se transformou numa enxurrada de acusações.

Que merda vocês estão fazendo, ela gritava, que porra é essa, o que vocês vieram fazer aqui, vocês dois são doentes, ele me contou tudo, tudo que vocês fazem, é bizarro pra caralho, saiam daqui, aqui não tem lugar pra vocês, seus tarados, sai, sai, sai.

Cala a boca, nós dissemos, mas ela nos ignorou.

Por favor, nosso amigo implorou. Por favor, parem. Não consigo pensar. Por favor.

Mas ela não parava. Continuou falando, coisas sobre ele, sobre a gente, sobre tudo que tinha acontecido. Mesmo enquanto ele falava com a gente sobre ela, ele também falava com ela sobre a gente; e agora ela sabia de tudo, incluindo as coisas que não tínhamos coragem de falar nem entre nós. Pensávamos que tínhamos exposto cada pedacinho dele, mas na verdade ele tinha mentido para nós, escondido isso de nós, todo esse tempo, e no fim os expostos éramos nós.

Manda ela parar, nós gritamos, sentindo uma espécie de pânico se alastrar; manda ela parar de falar isso, faz ela calar a boca, faz ela calar a boca agora. Cerramos os punhos e o encaramos fixamente, e ele estremeceu, com os olhos cheios de lágrimas, e de repente a raiva que tinha nos consumido entrou em combustão, e alguma coisa se encaixou com um clique.

Manda ela parar, nós repetimos — e foi o que ele fez.

Ele partiu para cima dela com todo seu peso, e eles lutaram, se contorcendo e se arranhando, até que a cama balançou e o abajur do criado-mudo oscilou, e então eles se estabilizaram e encontraram um equilíbrio, o peito dele encostado nas costas dela, o braço dele em volta do pescoço dela, o rosto dela enterrado no colchão.

Ótimo, nós dissemos. Agora continua. Continua o que você estava fazendo. Não deixa a gente te interromper. Você quer, né? Você tá morrendo de vontade. Então continua. Termina. Termina o que você começou.

Ele engoliu em seco, olhando para baixo, para a garota péssima debaixo dele, que tinha parado de se debater e estava imóvel, seu cabelo transformado num ninho de ouro opaco.

Por favor, não me obriguem, ele disse.

Até que enfim: aquela pontinha de resistência. Mas foi brochante, no fim das contas, porque ele era tão desprezível, ali deitado, tão minúsculo, e nós, nós preenchíamos o mundo inteiro. Poderíamos ter ido embora naquele momento, com aquilo que encontramos, com a consciência de que podíamos destruir tudo, destruí-lo — mas não fomos. Nós ficamos, e ele fez o que mandamos. Logo a pele da garota péssima ficou branca como uma folha de papel, exceto por um rastro de hematomas manchados espalhados pelas coxas, e ela não se movia, a não ser quando ele a movia, e o nó apertado da mão se soltou e os dedos pálidos se desenrolaram. Ainda assim nós continuamos: enquanto o quarto escurecia e a luz voltava a entrar e o ar ficava carregado de odores, nós o mantivemos lá, e ele fez o que mandamos. Quando enfim pedimos para ele parar, os olhos dela eram bolinhas de gude azuis, e os lábios secos estavam repuxados no alto da boca, expondo os dentes. Ele saiu de cima dela e soltou um gemido e tentou se afastar dela, se afastar de nós, mas apoiamos nossas mãos em seus ombros e alisamos seu cabelo suado, enxugamos as lágrimas de seu rosto. Nós o beijamos, e colocamos os braços dele em volta do corpo dela e encostamos o rosto dele no rosto dela. Seu safadinho, nós dissemos em voz baixa ao nos afastar.

Olha o que você fez.

“Look at Your Game, Girl”

Jessica tinha doze anos em setembro de 1993 — vinte e quatro anos depois dos assassinatos cometidos pela família Manson, cinco anos depois de Hillel Slovak morrer de overdose de heroína, sete meses antes de Kurt Cobain dar um tiro na própria cabeça e três semanas antes de um homem com uma faca sequestrar Polly Klaas numa festa do pijama em Petaluma, Califórnia.

A família de Jessica tinha se mudado de San Jose, onde ela era a garota mais popular da sexta série, para Santa Rosa, onde ela circulava com dificuldade entre vários grupos de amigas: as amigas populares, que a negligenciavam; as amigas da banda, que eram legais mas chatas; e aquelas que ela secretamente via como suas amigas ruins, que eram as mais fascinantes mas também as mais cruéis, e as piadas que faziam perfuravam sua pele como preguinhos minúsculos. Ela só conseguia ficar com as amigas malvadas por períodos curtos e empolgantes, porque logo começava a ficar exausta, dolorida, e aí precisava voltar ao conforto das amigas da banda para se recuperar.

A família de Jessica morava numa casa vitoriana amarela

em Lomita Heights, e todos os dias ela voltava do treino de hóquei, colocava o material do dever na cama e tornava a encher a mochila com seu discman, o estojo preto de CDs, os livros que tinha pegado na biblioteca, uma maçã e três fatias de queijo para a hora do lanche. Em seguida ela corria pelos três quarteirões que separavam sua casa do parque em que os skatistas se encontravam. Quando chegava ao parque, ela sentava na base do escorregador e escolhia as músicas que queria ouvir e o livro que queria ler. Ela tinha dezessete CDs, mas só ouvia três: *Blood Sugar, Sex Magik, Use Your Ilusion I* e *Nevermind*. Os livros eram basicamente exemplares carcomidos da prateleira de ficção científica e fantasia, sobre meninos descobrindo seus poderes.

Os skatistas do parque eram mais velhos do que ela, tinham talvez treze ou catorze anos, gritavam uns com os outros e andavam de skate sobre a mureta de concreto, fazendo um barulho horrível de alguma coisa raspando. Às vezes levantavam a camiseta para enxugar o suor do rosto, revelando frações de uma barriga chapada bronzeada, e de vez em quando um skate se enganchava na mureta e um deles saía voando e caía de quatro, deixando um quarteto de manchas vermelhas cintilando no chão. Nunca nenhum deles falou com ela. Ela passava uma hora olhando para eles, ouvindo música, fingindo ler o livro, depois ia embora.

Da primeira vez que o viu, ela estava prestes a abrir um CD novo do Guns N' Roses. Tinha acabado de deslizar o dedo pela embalagem de celofane e ia rasgar o plástico com os dentes quando notou que ele a encarava do outro lado do playground. Ela pensou que fosse um dos skatistas. Tinha mais ou menos a mesma altura, o mesmo corpo magro, esguio, mas o cabelo era mais comprido, passava dos ombros, e, quando ele foi para o lado e deixou de ser uma silhueta contra o sol do fim de tarde, ela percebeu que tinha pelo menos uns vinte anos — um homem jovem, mas um homem-feito. Quando viu que ela o olhava, ele deu uma piscadinha, apontou o indicador e o dedão como um revólver na direção dela, e atirou.

Três dias depois, ela estava ouvindo seu novo disco quando o homem surgiu do nada e sentou, de pernas cruzadas, no cascalho em frente ao escorregador. "E aí, menina", ele disse. "O que você está ouvindo?"

Ela ficou chocada demais para falar, então abriu a tampa do discman e mostrou o CD.

"Ah, pode crer. Você curte o cara?"

Ele deveria ter dito *você curte os caras*, porque Guns N'Roses era uma banda, não um cantor só, mas ela fez que sim.

Os olhos do homem eram azuis e inexpressivos e desapareciam nas dobras do rosto quando ele ria. "É...", ele disse. "Certeza que você curte."

Ele disse isso de um jeito que fez Jessica pensar que de fato ele sabia — não o que ela sentia pela banda, mas o que ela sentia pelo Axl; pelas camisetas rasgadas que grudavam em seus ombros e por seu sedoso cabelo acobreado.

"Ele tem uma voz bonita", ela disse.

O homem franziu o cenho, pensando nessa frase. "Isso ele tem mesmo", ele disse. E então perguntou: "O que achou do CD?".

"É legal", ela disse. "É quase tudo cover de músicas de outras pessoas."

"E isso é ruim, na sua opinião?"

Ela deu de ombros. Aparentemente ele esperava mais, mas ela não tinha mais nada a dizer. Ela abriu a boca para dizer alguma coisa tipo *você não é velho demais pra falar comigo?* ou *você não sabia que aqui é lugar de criança?*, mas, em vez disso, ela se ouviu dizendo: "Tem uma faixa secreta".

Ele levantou as sobrancelhas. "É mesmo?"

"É."

Ela achou que ele ia perguntar se podia escutar ou o que era uma faixa secreta, mas ele não perguntou. Só continuou lá sentado de um jeito que a fazia se sentir boba. Ela colocou o fone de ouvido de volta, pulou para a última música e avançou a faixa até chegar ao silêncio que a separa em duas canções. Ela ofereceu o fone, e ele aceitou. Ao entregá-lo, os dedos dele encostaram nos dela. Ela afastou a mão, como se tivesse levado um choque elétrico, e ele esboçou um sorriso triste. Ele pôs o fone sobre as orelhas e os círculos sumiram no meio do cabelo bagunçado.

"Preparado?", ela perguntou.

"Manda bala."

Ela apertou o *play*. Ele fechou os olhos, colocou as mãos no fone e começou a se mexer. Lambia os lábios e meio que pronunciava as palavras, movendo os dedos no ar como se dedilhasse as cordas de uma guitarra. Era constrangedora, a intensidade com que ele sentia a música, e depois de um tempo ela percebeu que não conseguia mais olhar na cara dele, então olhou para os pés. Ele estava descalço, e os espaços murchos entre os dedos estavam cobertos de sujeira. As unhas do pé eram amarelas e compridas.

Quando a música acabou, ele devolveu o fone de ouvido, deu duas batidinhas no discman e disse: "Eu prefiro a original".

Ele ficou olhando para ela enquanto dizia isso e, como ela não respondeu de cara, ele continuou: "Você sabe do que eu tô falando, né?".

"Não tem isso no encarte", ela admitiu.

"Então você nunca ouviu? A versão original dessa música?"

Ela fez que não.

"Ah, menina...", ele disse, prolongando as palavras. "Ah, menina, você não sabe o que tá perdendo."

Ela começou a guardar as coisas.

"Não fica brava", ele disse.

"Não fiquei brava."

"Eu acho que você ficou. Acho que você ficou brava comigo."

"Não fiquei. Preciso ir."

"Vai, vai." Ele acenou com a mão. "Desculpa se te deixei chateada. Eu vou compensar isso, prometo. Da próxima vez que eu te encontrar, vou te dar um presente."

"Eu não quero presente."

"Esse você vai querer", ele disse.

Ela não o viu pelo resto daquela semana. No fim de semana, ela foi à casa de sua amiga malvada Courtney e bebeu pela primeira vez — três goles ardidos de vodca com suco de laranja que deixaram seus membros insuportavelmente pesados. Na quarta-feira seguinte, ele ressurgiu com uma coisa na mão.

"Eu trouxe aquele presente pra você", ele disse.

"Eu não quero."

Ele chacoalhou a cabeça como se a grosseria dela o agradasse. E virou a palma da mão para mostrar que estava segurando uma fita cassete. Através da capa de plástico transparente, ela pôde ver uma lista de músicas escrita à mão com uma letra densa, escura.

"Não posso escutar isso", ela disse. "Não tenho toca-fitas."

"Aqui você não tem mesmo", ele disse. "Mas talvez em casa?"

"Em casa também não."

"Eu vou trazer um pra você, então."

A camiseta dele estava mais suja do que da última vez que ela o vira, e ele tinha prendido o cabelo num rabo de cavalo bagunçado, amarrado com um cadarço marrom caindo aos pedaços. Ela se perguntou onde ele tinha arranjado o cadarço, já que estava sem sapato. Talvez ele fosse morador de rua.

"Não faz isso", ela disse. "Não me traz nada."

Ele deu risada. Os olhos dele eram muito, muito azuis. "Vou te trazer amanhã", ele disse.

Ela pensou em ficar em casa, mas aí refletiu: por que eu deveria? O parque também é meu. Além do mais, o parque ficava lotado durante o dia; se ele tentasse fazer alguma coisa, ela gritaria por socorro e todos os skatistas viriam salvá-la. Ela não achava que ele ia tentar alguma coisa, não pra valer. Então ela foi, mas, apesar de ter ficado no escorregador até quase seis e meia, ele não apareceu.

Mais uma semana se passou antes que ele a procurasse de novo. "Desculpa", ele disse. "Eu falei que ia arranjar um toca-fitas pra você, mas levou mais tempo do que eu esperava." Ele estava segurando um walkman amarelo carcomido que parecia ter sido encontrado no lixo. A maioria dos botões de borracha estava faltando e o canto inferior tinha sido mergulhado em alguma coisa grudenta e vermelha.

"Eu não quero ouvir nada nesse negócio", ela disse. "Que nojo!"

Ele se sentou de novo na frente do escorregador. "Vou precisar pegar seu fone de ouvido emprestado", ele disse. "Isso eu não consegui achar."

"Quem é você?", ela perguntou. "Por que você fica falando comigo?"

Ele sorriu. Tinha dentes retos e brancos. "Quem é *você?*", ele perguntou. "Por que você fica falando *comigo*?"

Ela revirou os olhos. O fone de ouvido estava no colo dela e ele o conectou ao walkman. Ele colocou a mão no bolso e pegou a fita cassete que Jessica tinha se recusado a aceitar na semana anterior, depois abriu a tampa e encaixou a fita.

"Preparada?", ele disse.

"Não", ela disse. "Eu te falei, eu não quero ouvir a sua fita ridícula."

"Você quer, sim", ele disse. "Só que você ainda não sabe." Ele se esticou e colocou o fone na orelha dela. Ela pôde sentir o cheiro do corpo dele, uma mistura de fumaça de cigarro com suor e hálito azedo. Ela ia tirar o fone do ouvido quando ouviu um chiado empoeirado que parecia a estática no começo de um disco, e aí veio um homem cantando, acompanhado apenas por um violão tosco. A voz dele era aguda e melancólica e um pouquinho desafinada. A música a fez lembrar do que sentiu depois de beber aquela vodca, como se um planeta inteiro caísse em cima dela e a esmagasse no chão.

Quando a música terminou, ela arrancou o fone do ouvido e o deixou pendurado no pescoço.

"Era você?", ela perguntou. "Era você cantando?"

O homem pareceu maravilhado. "Menina, não sou eu. É o Charlie."

"Quem?"

"Charlie. Charles Manson. Você não conhece o Charlie?"

"Ele é cantor?"

"Ele era. Até o dia em que matou um montão de gente, lá em Benedict Canyon."

Ela ficou olhando para ele. "Você está querendo me assustar?"

"Nunca", ele disse. Ele colocou as mãos nos ombros dela. "O Charlie era cantor e podia ter virado uma estrela. Todas as garotas veneravam ele. Elas amavam o Charlie ainda mais do que você ama o Axl, e ele amava todas do mesmo jeito. Elas o seguiam por todo lado, a Mary, a Susan, a Linda e as outras. Mas aí eles mataram aquela mulher e o bebê dela e várias outras pessoas, e agora ele está preso e elas também, e a família inteira ficou espalhada por aí, mas eles nunca deixaram de se amar, nem um só minuto, nem um só dia, e todas essas músicas falam disso."

"Que história nada a ver", ela disse, se contorcendo para sair de perto dele. "Não sei do que você tá falando, mas acho que você devia ir embora."

"Mas você gostou da música", ele disse. Agora a voz dele parecia a voz de um menino, quase suplicante. "Eu sabia que você ia gostar. Foi por isso que eu trouxe pra você."

"Eu não sabia que era de um assassino!"

"Desculpa", ele disse. "Você tem razão. Eu não devia ter falado do Charlie. Eu não queria te assustar, juro."

Ela olhou para ele, confusa. Ela via que seus braços eram bronzeados e fortes, cobertos de pelos pretos e grossos, mas os cílios eram de outra cor — acobreado, como os do Axl.

"Você pode pegar a fita emprestada, se quiser", ele disse, levantando para ir embora. "Ouve todas as músicas. Eu acho que 'Look at Your Game, Girl' é a melhor, mas também gosto de 'Cease to Exist' e 'Sick City'. De repente você concorda comigo. Ou não. Tudo bem. Todas as músicas são ótimas, sério." Ele abriu o walkman e devolveu a fita à capa de plástico, e depois entregou para ela, olhando para o chão como se estivesse constrangido demais para olhar em seus olhos.

Ela pegou a fita e colocou na mochila. "Obrigada", ela disse.

"Você vai ouvir?"

"Claro."

"Maravilha! De repente você consegue achar um toca-fitas em algum lugar. Eu te daria este se pudesse, mas não posso. Desculpa."

“Não tem problema. Eu dou um jeito.”

Ela pensou que ele estava indo embora, mas aí ele agachou e segurou o rosto dela com as duas mãos. As mãos dele eram enormes e mornas e fizeram o rosto dela parecer minúsculo, como a cabeça de uma boneca. Ela pensou que ele ia se aproximar para beijá-la, mas ele passou o dedão em seus lábios. Ela abriu a boca e o dedão escorregou pra dentro. Ela sentiu a superfície áspera do dedo empurrando a sua língua, e sentiu o gosto acre da sujeira debaixo da unha dele. Ele disse: “É claro que você vai ter que me devolver. A fita, digo. Você vai me devolver, não vai? Promete?”.

A voz dela saiu abafada pela mão dele.

“Quando?”, ele perguntou. “Hoje à noite?”

Ela balançou a cabeça. Ele tirou a mão, e ela conseguiu ver a própria saliva brilhando no dedo dele. “Não posso”, ela disse, ofegante. “Hoje à noite eu não posso.”

“Por que não?”

“Minha amiga… Minha amiga vai dar uma festa do pijama. Preciso ir.”

Ele riu como se fosse a coisa mais hilária que já tivesse ouvido. “Foda-se a sua amiga”, ele disse. “Me encontra aqui depois de ouvir a fita e me conta qual música é a sua preferida.”

“Eu te disse que não posso!”

“Ah, menina…”, ele disse. Ele bagunçou o cabelo dela. “Claro que você pode. Vamos marcar às dez horas? Ou não, que tal à meia-noite?”

“Não vou vir aqui à meia-noite. Eu tenho doze anos. Ficou louco?”

“Meia-noite, então”, ele disse, fazendo um carinho no queixo dela. “Até daqui a pouco.”

É claro que ela não ia sair para encontrar um desconhecido sujismundo no parque à meia-noite. Aquela era uma ideia completamente ridícula; só deixar aquilo passar por sua cabeça já era ridículo. Ela não conseguia parar de pensar nele como Charlie, embora soubesse que aquele não era o nome dele, e ficou pensando no dedão do Charlie, pensando que era um dedo ossudo e imundo, e na hora em que a unha dele tinha arranhado aquele pedacinho de pele esponjosa em que sua garganta encontrava o céu da boca. Ela foi correndo para o banheiro várias vezes para abrir a boca e ver se não estava sangrando. Ela devia ter mordido o Charlie. Ela devia ter mordido e arrancado aquele dedão horroroso fora, e ele teria gritado de dor e tirado a mão da boca dela e ficado só com o toco jorrando sangue pelo playground inteiro.

É claro que ela não ia encontrar aquele Charlie horripilante no parque à meia-noite, mas, mesmo assim, quando as amigas da banda ligaram para pedir que ela levasse sua cópia de *Dirty Dancing* para a festa do pijama, ela disse que no fim das contas não ia poder ir porque estava com dor de barriga. Só de pensar em ficar ouvindo as amigas da banda rindo e abraçando ursinhos de pelúcia e fazendo a brincadeira do copo ela ficou com vontade de dar um chute em alguém, mas meio que sentiu uma dor de barriga de verdade. Depois, no entanto, pensou que talvez devesse ter ido à festa do pijama, porque ficar olhando sua mãe, seu pai e seu irmão caçula sentados ao redor da mesa de jantar, comendo lasanha, a deixou ainda mais irritada.

"Mãe, pai", ela disse, "eu estava aqui pensando... Algum de vocês já ouviu falar no Charles Manson?"

Sua mãe e seu pai tinham ouvido falar no Charles Manson, mas não queriam falar dele na mesa do jantar. Jessica pensou em ligar para a Courtney e para a Shannon para ver o que elas iam fazer, mas aí imaginou que as duas iam querer sair escondido para fumar cigarro, e o último lugar em que ela queria estar era lá fora, à noite, onde o Charlie poderia encontrá-la. Provavelmente seria melhor só ficar em casa. Sua casa era o lugar mais seguro de todos, porque o Charlie não sabia onde ela morava, e mesmo que ele a tivesse seguido em algum momento, o que com quase certeza ele não tinha feito, sua família tinha um sistema de segurança top de linha que seu pai tinha instalado quando se mudaram, isso sem falar no cachorro, Bosco, uma mistura de pastor-alemão que não gostava de ninguém que não tivesse conhecido quando ainda era filhote. Ela estava segura. Ela estava bem. Não tinha nenhuma chance de ela ir encontrar o Charlie no parque à meia-noite e ela estava superbem.

Depois do jantar, sua mãe colocou um filme e, assim que o relógio passou das dez, Jessica pensou na primeira vez que viu Charlie, e lembrou que pensou que ele era skatista, e de todas as perguntas que ele fez sobre o álbum dos Guns N' Roses, e que ele adorou a música. Ela pensou nele se mexendo no ritmo da música que ela tinha colocado para ele ouvir, com as mãos agarrando o fone de ouvido, e no que ela sentiu naqueles segundos em que ele tocou seu rosto pela primeira vez, e nos olhos dele, que eram tão azuis. Ela pensou na fita cassete, ainda guardada bem no fundo da mochila, e se perguntou o que aconteceria se ele viesse pegar a fita de volta. Ela pensou no que aconteceria se fosse ao parque e lhe devolvesse a fita cassete, e contasse qual era sua música preferida, e o deixasse levá-la aonde ele quisesse.

Sua mãe, seu pai e seu irmão pegaram no sono no sofá antes de o filme terminar. Não era raro que isso acontecesse na casa deles na noite de ver filme, e geralmente isso a tirava do sério, mas hoje ela pensou que ia começar a chorar. Ela olhou para a mãe, com aquele cabelo repicado ridículo que a fazia parecer um pássaro velho e assustado, e para o pai, que roncava por entre os fios do bigode, e para o irmão, que estava usando um pijama das Tartarugas Ninja. O que eles iam pensar se soubessem que ela tinha sido abordada por um cara nojento, um cara que tinha enfiado o dedo imundo na sua boca e que pensava que os assassinatos da família Manson eram a coisa mais legal do mundo? Sua mãe e seu pai iam ficar tão chateados. Iam ficar *muito assustados*. Esse pensamento fez com que ela se sentisse corajosa, e quando o filme terminou, em vez de acordar todos eles e dizer para irem logo para a cama, ela foi até seu quarto, pegou o travesseiro e o cobertor e os levou para o sofá. Ela ficou acordada protegendo a mãe e o pai e o irmão e a si mesma até que a meia-noite passasse com segurança, e, quando o relógio parou de assobiar, ela puxou o cobertor até o queixo e terminou a vigília cantarolando para si mesma: *Vai se foder, Charlie, vai se foder, vai se foder, vai se foder.*

Na noite seguinte, a família estava assistindo ao jornal quando passou a primeira notícia, e era sobre uma menina que tinha a idade de Jessica e o mesmo cabelo e as mesmas sardas de Jessica, e tinha sido tirada de seu quarto durante uma festa do pijama por um homem com uma faca, um homem cujo rosto no cartaz da polícia era de uma familiaridade assustadora.

Levou quase uma hora para os pais de Jessica conseguirem arrancar a história da filha e separar os detalhes relevantes do choro histérico que envolvia Axl Rose e Charles Manson, mas quando finalmente entenderam o que ela tentava lhes contar sobre *homem* e *parque* e *festa do pijama*, eles ligaram para a polícia. Levou mais duas horas para serem atendidos por alguém da delegacia, porque o sequestro de Polly rapidamente se transformava no crime mais famoso já ocorrido em Sonoma County, e as ligações dos malucos e dos piadistas e dos repórteres e dos videntes já inundavam as linhas.

Quarenta e oito horas depois, Jessica estava em casa e recebeu a visita de duas policiais mulheres, e nessa entrevista a polícia descobriu, entre outras coisas, que, apesar de Jessica não saber o nome verdadeiro do andarilho, ele tinha lhe dado uma fita cassete que tinha segurado com as mãos sujas, tinha colocado a fita numa capa e dado a ela, e essa fita ainda estava jogada no fundo de sua mochila. Elas foram até a viatura e pegaram suas luvas brancas de borracha, suas pinças e seus sacos coletores de provas, e levaram a fita, agradeceram de forma solene e disseram a seus pais que entrariam em contato em breve.

Meses se passaram, e nesse período mais de quatrocentas pessoas reviraram cada centímetro de Sonoma County chamando o nome da Polly, e uma versão em preto e branco da foto escolar de Polly foi colada em cada muro e árvore e telefone público do estado da Califórnia. Durante algum tempo, parecia que qualquer pessoa no país inteiro só sabia falar sobre o que havia acontecido com Polly, e Jessica tinha certeza de que logo a polícia ia voltar para confirmar sua culpa, para mostrá-la ao mundo como a primeira menina que tinha cruzado com o sequestrador e portanto tinha aberto as portas para o mal. Mas quando a polícia de fato encontrou Polly, dentro de uma cova rasa na encosta da rodovia 101, revelou-se que o homem que a havia matado era um velho cuja semelhança com Charlie no cartaz não passara de um golpe da imaginação ou de ilusão de óptica.

Quase um ano depois, um envelope pardo chegou à casa

de Jessica, e o remetente era a delegacia de polícia de Petaluma. Jessica estava certa de que o envelope continha a fita que Charlie havia lhe dado, mas seus pais o confiscaram antes que ela pudesse olhar seu conteúdo, e ela nunca mais viu a fita nem o envelope.

Quando completou catorze anos, Jessica compreendeu que havia se enganado, que Charlie não tinha ido atrás dela e levado Polly em seu lugar, que o timing dos dois fatos tinha sido só uma coincidência. Ainda assim ela continuou acreditando, pelo tempo que ainda restava de sua infância, que o que havia acontecido com Polly e o que havia acontecido com ela eram fatos que se conectavam de alguma forma — se não de forma concreta, por meio de alguma força gravitacional que fluía muito além da superfície das coisas.

Depois que se mudou para fazer faculdade, Jessica passou a acreditar que aquele impulso inicial de vincular sua própria experiência à experiência de Polly havia sido fruto de um egocentrismo infantil, um impulso de ver a si mesma como o centro do universo. Da forma como Jessica viu naquele momento, o homem que tinha matado Polly era uma supernova, uma força maligna gigantesca e devastadora, enquanto Charlie era uma estrela anã insignificante. De seu ponto de vista quando era mais jovem, o que era pequeno e próximo e o que era enorme e distante tinham, por um breve momento, parecido coisas igualmente luminosas — mas tinha sido uma ilusão, nada mais.

No fim, Jessica se convenceu de que tinha dado sorte. Afinal de contas, o único dano que Charlie havia lhe causado fora um pequeno arranhão no fundo da garganta que ela podia ou não ter inventado. Comparado ao que tinha acontecido com Polly — comparado ao número infinito de coisas ruins que tinham acontecido no universo —, seu breve contato com o mal havia sido apenas um pontinho de luz, uma coisa quase imperceptível diante de um cenário de constelações rodopiantes formadas por outras estrelas, mais luminosas.

E, no entanto, muito depois de ter se casado, tido seus próprios filhos e se mudado da Califórnia, Jessica ainda tinha dificuldade para dormir antes da meia-noite. Enquanto suas filhas gêmeas dormiam tranquilamente no quarto ao lado, ela ficava em pé à janela, olhando para a noite vasta, terrível, permeada de luz, e se pegava imaginando se Charlie ainda estaria lá fora, no parque, esperando ela chegar.

Sardinha

É a primeira tarde de vinhos de Marla com as mães desde O Ocorrido. Tilly brinca lá fora com as outras menininhas, toda tristeza aparentemente esquecida, mas Marla embala sua mágoa junto da taça de Merlot. Ela consegue senti-la arranhando, a sua raiva, espremida bem onde as duas metades da caixa torácica se encontram.

"Estamos *tão* felizes por você e a Tilly terem vindo hoje", Carol diz, segurando com as duas mãos sua taça manchada. Suas unhas são grossas e foram cortadas bem no toco.

"Estava com saudade de vocês", Marla diz. "Sério."

"Ah, claro que sim, claro", Babs diz, com os olhos úmidos e rosados. "Mas a gente entende que você precisou dar um tempo."

Há um momento de silêncio em que todas refletem pesarosamente sobre a seriedade d'O Ocorrido.

"Meu Deus, aquelas *putinhas*!", Kezia exclama enfim. "Juro que, se eu não tivesse precisado empurrar aquela cabeça gigante da Mitzi pra fora da minha boceta, eu teria assassinado a menina pelo que ela fez com a Tilly." Ela acena a taça para Carol, que tem uma filha adotiva. "Sem querer ofender."

"O que importa é que todo mundo lamenta muito", Babs diz, secando os olhos com a manga drapeada da blusa de linho. "Eu tive pesadelos com aquilo. Todas tivemos."

"Vocês são muito gentis", diz Marla. Ela também vem sendo atormentada por um sonho recorrente: Tilly num campo amarelo, rodopiando e chorando e arrancando os cabelos. A própria Marla não está presente no sonho; ela não passa de uma câmera que se afasta para revelar uma vastidão de nulidade: o campo, o país, o continente e o planeta não contêm nada além de Tilly, sozinha, sozinha, sozinha.

"Como você está lidando com tudo isso, querida?", Carol pergunta.

Boa pergunta, e a resposta é: não muito bem. No caos que se instalou logo após O Ocorrido, quando a conversa, a bronca, os gritos e os chacoalhões não foram suficientes para acabar com a choradeira de Tilly, Carol — a Carol pacifista, a Carol portadora-de-um-cartão-de-maconha-medicinal, a Carol Mãe Natureza — deu um tapa na cara da menina. A força do golpe arrancou os óculos do nariz de Tilly, e Marla, que nunca tinha batido na filha, que nunca tinha nem pensado em fazer uma coisa dessas, levou a mão à boca para segurar uma risadinha. Alguns dos aspectos mais confusos da maternidade são imprevisíveis até a hora em que você dá de cara com eles. Descobrir que, em determinadas circunstâncias, se alguém bate na sua filha você reage com um riso insano revelou-se um novo e indesejado item para acrescentar à lista.

"A Tilly parece estar bem, e é isso que importa", Marla diz, percebendo que estava olhando para o nada. "Se ela dá conta, eu também preciso dar conta, sabe?"

"Criança é resiliente pra caramba", diz Babs, e todas as mulheres sacodem a cabeça. *É o caralho*, Marla pensa. Talvez algumas crianças sejam. Mas será que todas são? Será que a Tilly é?

Resiliência, a habilidade de superar a dor, era uma coisa que a própria Marla só tinha aprendido com o tempo, de forma imperfeita e intermitente. Até hoje, as pequenas tragédias dos primeiros anos de sua própria infância são algumas de suas memórias mais vívidas.

"Acho que ela acabou mostrando que tem casca grossa, a sua Matilda", diz Kezia. "A Mitzi contou que duas delas começaram a fazer uma brincadeira no ônibus."

Marla cede a uma tentação que vinha evitando pelos últimos dez minutos e dá uma olhada pela janela, para o lugar em que as meninas estão reunidas. Estão todas sentadas, esparramadas umas nas outras sob o sol, um emaranhado em tons pastel de tiaras de bolinhas, meias de fru-fru e cabelos brilhantes. "Não acho que elas estejam brincando no ônibus...", Marla diz. "Será que só estão planejando? Ou falando da brincadeira? Não sei dos detalhes. Foi uma coisa que a Tilly arranjou na casa do pai."

"Do jeito que você fala, parece que é uma DST!", Babs diz e, assim que as conotações mais grotescas dessa piada passam pela cabeça de todas, o ruído de um movimento suave vem do quintal.

"Ah...", Marla diz. "Acho que elas vão começar."

Ela caminha em direção à janela, deixando a taça de vinho retinir na pia vazia. Já passou das cinco, e a atmosfera do fim de tarde se tornou açucarada, dourada e amena. No gramado recém-cortado, todas as meninas se levantam e tiram pedaços de grama dos joelhos e das mãos.

"Desculpa se eu tô sendo uma boboca, Till-Bill", Marla diz. "Mas será que você pode explicar de outro jeito? Como assim o contrário de esconde-esconde?"

Pelo espelho retrovisor do carro, Marla consegue ver Tilly

se contorcendo de agonia, como um sapo eletrocutado que é forçado a dançar. "Eu não sei mais o que dizer! É tipo esconde-esconde! Mas ao contrário! Sabe?"

Marla range os dentes e conta até cinco. "Não, eu não sei, chuchu. Tipo, ninguém se esconde? Ou ninguém vai procurar?"

"*Por favor*, para de me fazer explicar, por favor!" Tilly está literalmente arrancando os cabelos de frustração: tem duas mechas grossas enroladas nos dedos e começou a puxar com força para os lados da cabeça, como se fossem asas. *Tricotilomania*, foi assim que o terapeuta descreveu seu comportamento. Marla tinha sido instruída a não criar caso e mudar de assunto com jeitinho.

"Tá bom", ela diz. "Seu aniversário é no mês que vem! Você está animada?"

"Eu quero que a festa seja na casa do papai", Tilly diz. Ela começa a chutar as costas do banco de Marla num padrão ritmado.

"Vou ver o que dá pra gente fazer, minha linda", Marla diz a ela, pisando no acelerador ao passar no sinal amarelo.

Tilly está guardando um segredo.

Em pensamento, Marla enumera as evidências: o sutil brilho suspeito nos olhos castanho-claros de Tilly. A frivolidade em sua risada. A alternância entre a logorreia e o silêncio insistente toda vez que Marla pergunta sobre certa brincadeira.

Marla não é a única que teve a desconfiança despertada: todas as mães reprovam o comportamento recente das filhas. A brincadeira enredou todas as meninas numa trama tensa de bilhetes e mensagens instantâneas. "O que houve para elas tagarelarem tanto assim?", Babs pergunta a Marla por telefone. Parece uma pergunta boba, já que na experiência de Marla meninas de dez anos conseguem falar sem parar, eternamente, sobre qualquer coisa. Mas Marla também acha difícil compreender o ávido fervor que a brincadeira despertou.

Uma investigação coletiva por parte das mães revelou o nome da brincadeira, Sardinha, e um breve resumo das regras, que pareceram inofensivas aos olhos de todas. Ainda assim, a atitude de Tilly fazia Marla se lembrar da semana em que a filha descobriu o que acontecia se digitasse "peitos" no navegador do computador — como ela ia correndo para o quarto depois da aula e respondia "nada, não!" com uma voz cantada e melosa quando Marla perguntava o que ela andava aprontando.

Marla preferiria botar a culpa nas outras meninas — aquelas criaturas terríveis que adoram uma panelinha —, mas na verdade a própria Tilly parece ser a líder da operação. Isso também é estranho, porque Tilly sempre tinha sido um pouco excluída, ou feita de boba ou deixada de lado. Embora as outras mães não tenham coragem de verbalizar, o evidente poder de tirar Tilly da base da hierarquia social constitui grande parte da aura indigesta da brincadeira. É anormal, pensa Marla de um jeito lúgubre, certa noite, logo antes de adormecer.

Tem alguma coisa *anormal* acontecendo.

O pai de Tilly concorda em fazer a festa, o que significa que concordou que a festa seja em sua casa, contanto que Marla fique responsável pela organização e pela coisa toda. Ele *não* concordou com o pedido de Marla para que sua namorada, que mora na casa, saísse do recinto durante a tarde, e, portanto, para conseguir realizar o desejo de aniversário de Tilly, Marla vai ter que passar quatro horas seguidas distribuindo lembrancinhas ao lado da garota de vinte e três anos que uma vez encontrou trepando com seu marido no sofá da sala da família.

Será que isso deixa Marla meio no limite? Será que isso a deixa um pouco impaciente com Tilly, que se recusa a dar qualquer dica do que quer na festa, a não ser brincar de sardinha?

Que bolo você quer na festa, Tilly? Chocolate? Morango? Tutti frutti?

Tanto faz.

Além das meninas da vizinhança, tem mais alguém que você quer convidar?

Acho que não.

Será que a gente escolhe um tema dessa vez? Piratas, quem sabe? Ou palhaços?

Ah, não. É chato.

Do que a gente pode brincar?

Dãr. Sardinha.

Tá, claro, mas o que mais? Quer uma piñata? Caça ao tesouro? Gincana?

MÃE, SERÁ QUE VOCÊ PODE PARAR DE SER IDIOTA? EU DISSE SARDINHA.

Olha, essa coisa toda está tirando Marla do sério, sim. Pra falar a verdade, está, sim.

Todas as outras mães estarão na festa como convidadas, e a princípio Marla fica feliz por ter esse apoio. Suas tropas vão superar as tropas do inimigo! Ela não vai precisar entrar sozinha na jaula do leão! Mas, na manhã do aniversário de Tilly, Marla fica largada na cama, lastimando e pensando que teria sido melhor não convidar nenhuma delas.

Depois de pegar Steve e a namoradinha no flagra, Marla esboçou dezenas de planos de vingança — substituir o lubrificante que ficava no criado-mudo da namorada por super bonder, amarrá-la e tatuar PUTA na testa dela. Mas, sabe-se lá como, dia após dia e gota após gota, toda aquela fúria destemida havia se reduzido a isto: ela vai passar o dia sorrindo sem parar e engolindo a raiva enquanto sua nêmesis desfila vitoriosa — des-humilhada, des-colada com super bonder, des-tatuada na testa. Como Marla deixou isso acontecer? Como pôde se resignar tão humildemente à derrota?

O alarme em modo soneca começa a tocar, e Marla enfia o celular debaixo do travesseiro para fazê-lo calar. Um minuto depois, Tilly entra pulando no quarto, um flamingo no vestido de aniversário rosa-choque.

"Mãe!", ela diz com doçura. "Mãe, sua dorminhoca! Eu *te falei* que eu queria waffles de aniversário! Você esqueceu?"

Na primeira vez que deixou Tilly na nova casa de Steve, Marla ficou enojada: a casa colonial ostensiva era o tipo de propriedade que alguém só compraria se tivesse planos de um dia encher de crianças. Mas ela tem que admitir que é o lugar perfeito para uma festa de aniversário — tem pé-direito alto, um monte de cantinhos simpáticos e um gramado verde macio que dá a volta e desce um morro até alcançar uma mata virgem. Ela estaciona o carro, abre o porta-malas e descarrega sacolas de apetrechos de festa enquanto Tilly saltita pela entrada da garagem para encontrar o pai.

O plano de sobrevivência de Marla para esse dia consiste em fingir que A Namorada nem chega de fato a existir. Ela faz malabarismos complexos para evitar mencionar seu nome, nunca olha diretamente para A Namorada e dirige seu olhar levemente à esquerda do rosto dela. (Ela também tem um tubinho de super bonder no bolso. Super bonder com uma consistência absurdamente similar ao do lubrificante aromatizado da marca preferida do Steve. É provável que ela não use. É *muito* provável. Mas enfim.)

Marla cuida de toda a decoração — depois de tentar, meio de má vontade, pendurar um cartaz de aniversário na porta, Tilly desaparece pela mata. Ela só volta depois de os primeiros convidados terem chegado, e sua meia-calça branca tem respingos de lama até a panturrilha.

Por insistência da aniversariante, a entrega dos presentes é antecipada. Tilly fica sentada de pernas cruzadas no sofá e revira a pilha de pacotes de forma robótica, rasgando o papel brilhoso de mãos cheias e despejando cada brinquedo num montinho a seus pés. Marla lembra a filha: "Fala 'obrigada', Tilly". E Tilly repete: "obrigada, Tilly", num tom irritante e sem emoção.

Depois vêm o bolo e o sorvete. Na noite anterior, louca para se refugiar em seu abrigo improvisado de vinho e Netflix, Marla não esperou tempo suficiente para o bolo esfriar. Por conta disso, a cobertura enlatada que ela espalhou por cima do bolo de caixinha ficou toda derretida, transformando a caligrafia azul de bico de confeitar, que dizia *feliz níver tilly*, num borrão ilegível. A tentativa de usar o cabo de uma faca para transformar as palavras num lindo arabesco marmorizado só piorou as coisas.

Marla está na cozinha, olhando para o caos que ela mesma criou, quando alguém chega por trás e um par de mãos com unhas bem curtas envolve sua cintura. "Oi, amor", Carol diz. "Os aborígines estão ficando agitados. Você está bem?"

"Olha isso!", Marla choraminga, quase furando o olho da amiga com a faca cheia de cobertura de bolo. "Que desastre!"

"Ah, não ficou tão ruim assim", diz Carol. Ela faz uma pausa. "É óbvio que também não está maravilhoso. Mas a Tilly vai sobreviver. E, olha, eu parei no mercado vindo pra cá", Carol diz, "e pensei nisso, sei lá." Ela abre uma enorme sacola reutilizável da Whole Foods e coloca uma lata de cobertura de chocolate amargo no balcão da cozinha.

Olhando aquilo, Marla sente um desespero ainda mais profundo. Como assim, caralho?

"Olha...", Carol diz, tirando com cuidado a faca da mão de Marla e abrindo a lata. "A gente pode só... né?"

Marla faz que sim. Do outro cômodo surge um grunhido de Tilly: "Tira a mão daí! É meu!", mas ela não tem forças para lidar com a situação. Não agora.

"Deixa que eu faço", ela diz, tomando a faca de volta da mão de Carol. "Você pode ir lá ver por que elas estão surtando?"

Depois de rebocar a nova camada de cobertura, Marla enfia onze velas de aniversário ao longo do diâmetro do bolo. No centro, para dar sorte, ela posiciona uma última vela — um enfeite diferente que ela achou numa cesta de promoção no supermercado. A vela tem o formato de uma flor gorda e fechada, de pétalas amarelas, e, quando Marla encosta a chama do isqueiro no pavio, a flor se abre de um jeito desengonçado e começa a girar.

"Pronto!", Marla grita. "Hora do bolo!"

Ela ergue o prato de bolo com as duas mãos e sai de costas pela porta da cozinha.

Os convidados estão reunidos ao redor da mesa da sala de jantar, todos coroados com chapeuzinhos pontudos, a não ser Tilly, que tem um laço prateado de bolinhas preso no meio da cabeça. Quando Marla chega com o bolo e a vela de flor chiando e soltando faíscas como um minúsculo fogo de artifício, uma Tilly embasbacada leva as mãos ao rosto. "Que coisa *linda*!", ela grita. Os convidados entoam os primeiros versos de "Parabéns pra você" bem na hora em que a vela de flor começa a emitir as notas de uma música que ninguém conhece. Todos param, confusos, enquanto a vela cantarola — darararararira —, até que Kezia finalmente berra: "Parabéns pra VOCÊ!", e todos dão um jeito de cantar mais alto que a vela e continuar a música de aniversário.

Quando terminam de cantar, Tilly assopra as velinhas com um único *sssssshhhhhh* explosivo e um pouco cuspido, mas, não importa o quanto ela assopre, a vela de flor não quer apagar, muito menos parar de tocar sua música irritante. Então cedo ou tarde, para impedir que o bolo fique completamente encharcado de cuspe da Tilly, Marla leva a vela de volta para a cozinha e a coloca debaixo da torneira, e a água extingue a chama, mas não acaba com o barulho. Ela joga a vela no chão e pisa em cima, mas *essa merda não para de tocar*, e, mesmo depois que enfia a vela bem fundo no lixo, ela ainda consegue ouvi-la tilintando fraquinha, teimosa — dararararariRÁ!

"Mãe", Tilly pergunta assim que Marla volta para a sala de jantar. "Se eu não consegui apagar a vela da sorte, o meu desejo se realiza mesmo assim?"

"Acho que sim", Marla diz. "Aquele negócio era uma porcaria."

"Que bom", diz Tilly. Ela amassa o sorvete e o bolo com o garfo e enfia tudo na boca. "Quer saber de uma coisa?"

"Claro, lindinha", diz Marla, avoada. Steve faz charme e balança A Namorada, que está sentada em seu colo, enquanto acaricia seu cabelo cacheado. Se os dois começarem a se beijar, Marla jura por Deus que vai meter a faca do bolo na garganta d'A Namorada.

"Acho que você vai gostar do meu desejo, mãe." Tilly chupa a cobertura que sobrou nos dedos, se remexe alegremente e completa: "Meu desejo é uma coisa *má*".

* * *

Estas são as regras para brincar de sardinha, que podem ser encontradas em qualquer livro de brincadeiras para crianças. Todos os participantes fecham os olhos, exceto uma pessoa, que é o Escondedor. Enquanto todo mundo conta até cem, o Escondedor vai se esconder. Depois que a contagem termina, a primeira pessoa a encontrar o Escondedor se esconde com ele. A próxima pessoa a encontrar o Escondedor se esconde com as outras duas. E assim por diante, até que todas as pessoas, menos uma, fiquem amontoadas no mesmo esconderijo, esmagadas bem juntinhas como sardinhas numa lata.

Estas são as regras especiais para o aniversário da Tilly:

A Tilly escolhe quem vai ser o Escondedor.

É proibido se esconder dentro da casa.

Todo mundo tem que brincar.

Tilly leva os convidados para fora, sobe num banco de jardim e olha para todos de cima. Marla pensa que a filha está agindo com a condescendência benevolente de uma rainha. "Agora eu vou escolher o Escondedor", diz. Ela levanta a mão e deixa o dedo flutuar com uma expressão sonhadora no rosto. Seu dedo balança brevemente sobre Kezia, Carol e Steve. Aí o dedo para e aponta.

"Você", ela declara, apontando para A Namorada. "Você é a Escondedora. Ou seja, você tem que ir se esconder."

Todo mundo abaixa a cabeça enquanto Tilly conta até cem. Por baixo das pálpebras semicerradas, Marla observa A Namorada paralisada, com uma expressão de pânico no rosto, até a contagem chegar a oitenta, momento em que ela sai correndo pelo quintal e desce o morrinho.

"98, 99, 100... LÁ VAMOS NÓS!", Tilly grita, e todo mundo se espalha.

Marla vai se esgueirando em direção à varanda. Quando tem certeza de que ninguém está olhando, ela se enfia pela porta dos fundos da casa. Desculpa, Till-Bill, mas nem morta que ela vai correr o risco de encontrar A Namorada e ser obrigada a ficar agarradinha nela num buraco gosmento no meio do mato. (Ela também aproveita a oportunidade para dar uma xeretada. Uma procurada. E uma substituída. Olha, é só uma pegadinha. Uma brincadeira inocente. Só um gostinho de vingança.)

Steve não é muito de beber vinho, mas A Namorada deve ser, porque em sua expedição Marla descobre um armário lotado de vinho barato. Ela pega uma garrafa de *sauvignon blanc*, pensa em sair à caça de uns cubos de gelo, mas conclui que está com preguiça suficiente para beber quente mesmo. Quando termina de explorar a casa, ela tira os sapatos, põe os pés para cima e se aconchega no sofá com o resto do bolo.

Marla está na metade do vinho quando levanta a cabeça e vê a filha na soleira da porta. Os braços de Tilly parecem pesados, caídos ao lado do corpo, e o sol da tarde reflete nos óculos, tornando seus olhos estranhamente opacos.

"Nossa, Till, você me deu um susto!", Marla grita. "Faz tempo que você está aí?"

"O que você está fazendo aqui, mãe?", Tilly pergunta. "Você não escutou quando eu disse que todo mundo tinha que brincar?"

"Escutei. Desculpa. Eu já volto lá. Eu só... só precisei fazer uma pausa."

Tilly sai andando pela sala, com uma expressão atordoada no rosto. Ela entrelaça a mão nos dedos de Marla e encosta a testa úmida em seu pescoço. "Mãe", ela diz, "eu estava pensando... Você gosta da Layla, da Mitzi e da Francine?"

Hipnotizada pela sensação dos dedos frios de Tilly desenhando círculos na palma de sua mão, Marla quase deixa escapar um *quem são essas*? antes de voltar ao planeta Terra. "Pra falar a verdade, Tilly, não muito. Sei que elas são suas amigas, mas acho que elas são meio exclusivistas."

"O que é *exclusivistas*?"

"É isso de sempre ficarem só entre elas. Não acho legal."

"E das mães delas? Você gosta?"

Marla solta um suspiro e tira a mão, depois lambe o dedão para limpar um pingo de cobertura de chocolate do queixo da Tilly. "Não sei. Elas são bacanas. Não tem nada de errado com elas. Mas se eu precisasse decidir agora, acho que diria que não gosto."

"E o papai e..."

Antes que Marla possa dizer qualquer coisa, Tilly responde por ela. "Eu sei. Você odeia os dois, né?"

O nariz adulto de Tilly — o nariz de Steve — tinha aparecido em seu rosto poucos meses antes, desconjuntando todos os outros traços. Ela tem um novo foco oleoso de acne que acompanha a raiz dos cabelos e uma gorda verruga marrom que surgiu na lateral do pescoço. Fica suada apesar de ter usado desodorante, mesmo o Desodorante Masculino Esportivo de Longa Duração Indicado por Dermatologistas que Marla deixou em sua cama, sem dizer nada, na semana anterior. Em momentos aleatórios do dia, seu hálito fica forte e desagradável, e Marla se pega abrindo a janela do carro, sem dizer nada. Parece que os seios estão crescendo cada um num ritmo ligeiramente diferente, por isso nenhum dos tops de ginástica que Marla compra para ela lhe servem. Quanto mais Tilly entra aos tropeços numa adolescência grotesca, mais insiste em agir feito um bebê, tentando recuperar uma fofura que nunca teve. A Tilly capaz de tirar qualquer um do sério, cheia de tiques, carente demais; a adorada Tilly, que, apesar dos maiores esforços de Marla para protegê-la, às vezes parece não só destinada como determinada a ser devorada pelos dentes afiados do mundo.

Marla sabe o que deve dizer — *claro que não, querida* ou *odiar não é a palavra certa* ou *eu vou amar o seu pai pra sempre porque ele me deu você*, mas todas as platitudes necessárias murcham na ponta da língua. Então, em vez de falar essas coisas, ela não diz nada, e Tilly concorda com a cabeça. "Você erra bastante, mas mesmo assim é uma boa mãe", ela diz. E abraça Marla intensamente, dá um beijo molhado bem dentro de sua orelha e pega um pedação de bolo.

"Tilly?", Marla chama enquanto a filha vai saindo da sala.

"Que foi?"

"Qual foi o seu desejo aquela hora?"

O sorriso arreganhado de Tilly com os dentes sujos de bolo é encantador. "Ai, mãe. Daqui a pouco você vai saber."

Deixe Tilly com o plano dela. Deixe Marla com o vinho dela. Imagine que você é, na verdade, A Namorada. Aqui, na festa de aniversário da filha do seu namorado. Organizada pela mãe da filha do seu namorado. Cheia de amigas da mãe da filha do seu namorado. Que vieram todas desfilando até a sua casa, doidas para deixar bem claro que não gostam nem um pouco de você. E é a sua casa! Não é como se você tivesse aparecido sem ser convidada. Você mora aqui! A mãe se recusando a dizer seu nome e a olhar diretamente para você. Seu namorado constrangido, se encolhendo todo a cada toque seu. E a filha apontando o dedo na sua cara. *Você. Você é a Escondedora.* Como essas palavras não iam parecer uma acusação aos seus ouvidos? Como você, correndo morro abaixo com sua sandália pesada, não se sentiria pelo menos um pouco como uma... presa?

Escolher um esconderijo bom demais seria prolongar o sofrimento. Só quando a brincadeira acaba é que a festa termina. Mas escolher um esconderijo ruim demais — entrar debaixo da mesa de piquenique, agachar atrás da primeira árvore maiorzinha que aparecer — é falhar no papel que lhe foi designado. *Você é a Escondedora. Ou seja, você tem que ir se esconder.* Ser encontrada muito rápido chatearia Tilly, decepcionaria Steve, daria às mães mais um motivo para falar mal. E é por isso que você sai do gramado ensolarado e entra na floresta escura, onde os arbustos arranham seus tornozelos e os espinhos enganc ham na saia.

Você sobe e desce o morrinho, passa por um riacho seco, atravessa um caminho entre as árvores. Encontra um círculo de tocos de árvore altos o bastante para te encobrirem, mas só se você ficar agachada, com os joelhos encostados no peito. Silêncio. Passarinhos. Cheiro de agulhas de pinheiro destroçadas e folhas em decomposição.

Que lugar tranquilo, você diz a si mesma. Ouvindo sua própria respiração irregular ficando aos poucos mais suave, mais estável. Sonhando acordada com o que você vai fazer quando a festa acabar.

Esperando alguém te encontrar.

Marla fecha os olhos e abre de novo, e nesse momento acorda dentro daquele sonho. O sonho em que todo mundo desapareceu, menos Tilly. Quanto tempo passou? Uma hora, um dia, uma era? Impossível dizer. É o início da noite, disso ela sabe. O sol se transformou numa chama vermelha lá longe, na floresta, e as sombras todas se libertaram. A escuridão mais profunda, densa, vai se espalhando por toda e qualquer direção.

As janelas iluminadas da casa ficaram tão vazias quanto os óculos de Tilly. O cartaz de aniversário balança pendurado na porta, como uma língua se esticando. Marla se arrisca lá fora, onde a aniversariante, coroada por um laço prateado, está de pé — esperando? — flutuando? — lá embaixo, onde a grama e a floresta se encontram.

Sardinha é uma brincadeira de corpos amontoados. Braços grudados nos ossos do quadril, uma bunda caindo no colo. O cabelo de uma pessoa fica preso no seu dente; o dedo de outra pessoa se enfia na sua orelha. Que perna é de quem? De quem foi esse peido? Quem se *mexeu*? Quem *falou*? Para de se mexer! Tira esse pé da minha virilha! Tira o nariz da minha axila! Você deu uma cotovelada no meu peito, Francine! Meu cotovelo nem chegou perto do seu peito ridículo, sua trouxa, isso é o joelho da Layla. Não é, não! Cala a boca! Shhhhh, meninas, a Tilly vem vindo! Ai, não, minha mão tá pra fora. Não cabe mais. Tá muito apertado! Não, a gente consegue. Junta mais. Junta mais. Junta mais até cada pedaço do seu corpo encostar numa parte do corpo de outra pessoa. Empurra, espreme, esmaga, gruda, aperta.

Tilly perambula no meio das árvores e Marla vai atrás, seus passos são abafados por uma pilha de agulhas de pinheiro, o suave adubo do apodrecimento das árvores. Os lábios vaginais de uma orquídea sapatinho-de-boneca escapam por trás de uma moita; um pedaço rasgado de bexiga estourada, ainda com o nó vermelho e inchado na ponta, surge pendurado num galho de árvore, e o cadáver de um cogumelo esmagado reluz triste e frio e pálido.

Espere.

Antes da hora da descoberta.

Tem só mais uma coisa que você precisa saber.

A vela da sorte de Tilly realiza desejos.

Realiza os desejos das pessoas solitárias. Das desengonçadas. Das ofendidas. Das fedorentas. Das pessoas magoadas, atormentadas, cheias de ódio, incapazes. Das filhas e mães. Das mães e filhas. Das Marlas e Tillies. Das Tillies e Marlas. Das Tarlas e Millies, das tilhas e marlhas. Das fães e milhas. Das Marlyefarlaefillyepilhasepãeseoutras.

No meio da floresta, à beira do abismo, no escuro, juntas, mãe e filha, Tilly e Marla não ouvem nada, a não ser o vento nas folhas, coração e respiração.

Shhhh!

Escuta.

Esse é o barulho dos desejos quando se realizam…

(Desejos ruins. Malvados.)

Gritos. Um montão de gritos…

Só que abafados. Como se alguém gritasse num travesseiro.

Ou talvez em alguma coisa um pouco mais elástica.

Tipo uma bexiga.

Tipo um chiclete.

Tipo pele.

Surpresa! Eis que, com um empurrãozinho da magia dos aniversários, o ódio pode ser capturado como um raio de sol. O ódio pode ser ampliado, refletido, *lançado*. E um grupo de convidados, apinhados feito formigas numa calçada (como sardinhas numa lata), se veem banhados pelos raios de uma força misteriosa, uma força tão poderosa quanto invisível.

A pele coletiva dos convidados começa a aquecer, e aí fica quente, e depois mais quente ainda.

O cabelo brilhante dos convidados começa a queimar. E depois solta fumaça, e depois carboniza.

Os corpos trêmulos, pulsantes, latejantes, ofegantes se inflamam. Depois se incendeiam. Depois se incineram. Depois cozinham. Depois explodem. Depois derretem. E por fim se *fundem*.

Os corpos amontoados se tornam um só corpo. Seus vários cérebros se tornam um cérebro confuso e desesperado. Em vez de várias pessoas separadas, se tornam uma massa fervilhante, um organismo apavorado, uma poça de carne consciente, em erupção, uma coisa feita de múltiplos olhos e múltiplos membros.

No alto do morro, sob um luar brilhante, Marla e Tilly se abraçam apertado, enquanto, lá embaixo, o monstro de aniversário de Tilly se sacode e balança e range os dentes; uiva e tenta se rasgar ao meio e grita.

Tô com medo não sei o que tá acontecendo quero a mamãe meu bebê quem é você o que você tá fazendo na minha cabeça no meu corpo eu não você está em mim será que não é a mamãe não eu sou a Francine não eu sou a Carol não Kezia querida é a mamãe como que isso por favor faz alguma coisa não eu sou o Steve eu sou a Stacey eu sou a Mitzi eu sou a Layla não consigo entender tô com tanto medo não gosto daqui por favor alguém me ajuda eu não consigo me mexer eu não consigo parar meu Deus de onde veio aquilo por que eu não consigo ver eu consigo ver tudo o que são esses barulhos quem é esse o que é isso o que sou eu quem fez isso dói muito por favor faz parar dói demais ah querida desculpa quem é isso o que são vocês são eu...

Estarrecida, Tilly olha para o monstro. Seus olhos brilham, embora o crânio esteja entupido de milhares de velas de aniversário, e um fio de saliva escorre por seu queixo.

Entre os membros contorcidos e as cabeças uivantes, o rosto d'A Namorada se distingue dos outros por um instante. Ela arregala os olhos, toda suja de lama, o nariz empinado está quebrado, coberto de sangue, e há um espaço vazio onde ficava a metade dos dentes da frente.

A festa de Tilly se transformou em seu presente de aniversário — um monstro que estremece e chacoalha e borbulha, e nunca debocha das pessoas. Um monstro que baba e pula e sofre, mas não provoca ninguém. Um monstro que berra e balbucia, e nunca trai e se divorcia; que gira e geme e grita de agonia em vez de abandonar as pessoas que supostamente amava.

"Mãe?", Tilly sussurra, chocada, para Marla. "Você acha que os desejos de aniversário podem ser *des*-desejados? Tipo no meu aniversário do ano que vem? Ou tipo agora?"

"Não sei, querida", Marla diz.

"Você acha que eu *devo* desfazer meu desejo?" Ela olha para cima como se implorasse à mãe. "Você quer que eu desfaça?"

Marla tenta responder, mas percebe que as palavras grudam na garganta. Ela pensa um pouco mais enquanto Tilly espera, enquanto o monstro lá embaixo grita e guincha e implora por misericórdia, e enquanto — sob poças de sorvete derretido, serpentina rasgada, pedaços empapados de bolo — a vela amarela gira e brilha e cantarola: *darararararíRÁ*!

Os corredores noturnos

As meninas da turma 6 eram terríveis e todo mundo sabia. Todos os professores da Escola Primária para Meninas de Butula tinham uma história que envolvia a turma 6 — a vez que as meninas deixaram uma instrutora trancada no banheiro masculino a noite inteira; a vez que lideraram uma greve sitiada depois que a escola serviu *githeri* por dez dias seguidos; o incidente com o bode no almoxarifado. Depois que souberam que Aaron, o voluntário do Corpo da Paz americano, havia sido designado para a turma 6, todos os professores lhe lançavam um olhar solidário quando cruzavam com ele no corredor, e uma das professoras mais jovens sentiu tanta pena que, enquanto comentava a situação com os colegas no refeitório, começou a chorar.

Mas quando Aaron falou com a professora e implorou por dicas de como lidar com as garotas, ela só conseguiu dizer, com um suspiro fatalista: "Não dá pra lidar com aquelas lá. Elas têm o diabo no corpo, e não há nada que você possa fazer a não ser...", ela bateu com a mão no ar para mostrar.

Plaft.

Todos os membros da equipe tinham cumprido pena na turma 6. No entanto, dentre todos os professores maltratados, só Aaron tinha medo de arrastar as meninas para fora e dar-lhes uma chibatada nas panturrilhas. Por causa disso, ele não conseguia nem se virar de costas para escrever no quadro-negro ("O/Os vírus do HIV é transmitido/são transmitidos das seguintes formas...") sem que o infinito deboche borbulhante das meninas fervesse e virasse o caos completo.

As meninas imitavam sua voz quando ele falava, olhando para ele e dando gritinhos num tom agudo e anasalado. Jogavam coisas nele: não só giz, mas também pedaços de papel encharcados de cuspe, grãos de milho, grampos de cabelo e bolas cascudas e esverdeadas de catarro. Certa vez, quando ele havia acabado de devolver uma folha de exercícios, Roda Kudondo foi saltitando até a mesa e enfiou o caderno na cara dele, resmungando de um jeito enrolado que supostamente seria a imitação do sotaque texano arrastado do professor. A sala caiu na gargalhada e Aaron, sem entender nada, mandou ela se sentar. Mas ela apenas repetiu o que tinha dito e enfiou o dedo indicador bem fundo na boca, cutucando a bochecha por dentro até o rosto inflar. Ela estava dando em cima dele, e essa piada — se oferecer para ir com ele atrás da escola e chupá-lo em troca de uma nota mais alta — o deixou corado e horrorizado, mas ela voltou para sua carteira numa boa, em meio a gritos de apoio da turma.

Depois, numa tarde úmida de dezembro, Linnet Oduori seguiu Aaron dos portões da escola até a casa dele, miando feito um gato o caminho inteiro. Linnet era a menor menina da turma 6, e era tão linda e delicada quanto o pássaro que havia inspirado seu nome.* Até esse momento, Aaron a transformara numa espécie de mascote, elogiando-a sempre que podia e fazendo de

* Na língua inglesa, "linnet" é o nome popular do pintarroxo-comum (*Linaria cannabina*). (N. T.)

seu trabalho medíocre um exemplo para as outras — um favoritismo preguiçoso e descabido do qual, naquela tarde, ela extraiu uma estranha mas efetiva vingança.

“É por causa dos seus olhos”, Grace, amiga de Aaron, lhe informou aquela noite, quando ele descreveu o que Linnet havia feito e contou que todas as outras crianças com as quais cruzaram no caminho vieram atrás deles, empolgadas, até ele ficar cercado por uma cambada de crianças gritando *miau, miau*, com voz de deboche. “Seus olhos parecem olhos de gato por causa da cor”, ela continuou, como se aquilo fosse uma obviedade.

Aaron achava que os olhos da Grace eram mais felinos do que os dele, que eram só olhos azuis comuns. Grace pertencia à tribo local luia e tinha olhos castanhos, é claro, mas eles eram curvados para cima de um jeito incomum e um pouquinho saltados, então, quando Aaron olhava para ela de lado, ele conseguia ver com clareza o menisco de sua pupila, um minúsculo cálice prestes a transbordar.

Grace tinha adotado Aaron na primeira semana dele no vilarejo. Uma noite apareceu em sua porta segurando uma coca-cola quente e um *chapati* chamuscado como cortesia. Com suas espinhas brilhosas na testa, seu sorriso de dentes separados e gengiva escura, e seu ar de desdém gratuito, Grace teria se enturmado facilmente com as meninas da turma 6, apesar de ter dezenove anos e ser mais velha que todas elas. Antes disso, ela perguntara a Aaron de que lugar específico da América ele vinha, e quando ele respondeu ela disse com frieza: “Pois eu tinha pensado que todos os texanos fossem tipo aqueles cowboys bem grandes, mas você não é grande. Você é... de um tamanho normal”. Grace tinha estudado na escola de Butula alguns anos antes, e reagia às histórias que ele contava com uma incredulidade teimosa, recusando a ideia de que ele pudesse contar qualquer coisa que ela já não soubesse.

Quando caía a noite, Grace dava um jeito de se enfiar na casa apertada e meio fedorenta de Aaron, deixando bem claro a cada suspiro curto que só estava ali por consideração, que nenhum deles merecia ficar num buraco daqueles. Um dia ela mandou a real e perguntou: "Por que você veio lá do Texas pra morar nessa casinha minúscula? Sabia que até o cozinheiro da escola mora numa casa melhor que essa?".

Aaron já tinha contado que era voluntário, que a casa tinha sido arranjada pela escola, e por isso ele não podia fazer nada, embora na verdade tivesse reclamado de forma enfática sobre sua situação de moradia para os supervisores do Corpo da Paz assim que chegou. Na realidade, na primeira vez que entrou por aquela porta uma chuva empoeirada de fezes de morcego caiu da soleira em cima dele, e mais tarde ele encontrou o cadáver desidratado de um dos culpados, que a essa altura parecia um cocô marrom assado, preso dentro do forno desativado.

Embora fosse óbvio que ela reprovava o ambiente, era comum Grace ficar na casa dele até depois da meia-noite, chupando o dedo e o encarando, um de frente para o outro na mesa iluminada por um lampião. Aaron suspeitava que cedo ou tarde ela ia dar em cima dele, e passava um tempão pensando em como reagiria, mas até agora ela não tinha tomado nenhuma atitude; quando chegava o fim da noite ela só se levantava, bocejava e arrumava casualmente a alça do sutiã por baixo da manga do vestido.

Na noite do episódio do miado, no entanto, Aaron acompanhou Grace até a frente de sua casa e ficou lá parado. Num impulso, ele se aproximou dela, mas, em vez de ceder, Grace tirou a mão de sua cintura e a devolveu para perto do corpo do rapaz, e em seguida riu na cara dele.

"Muito ruim", ela provocou, sacudindo o dedo debaixo do nariz dele.

Agora Aaron tinha mais esse constrangimento para engrossar a ladainha de humilhações que o mantinha acordado toda noite, olhando para o teto e temendo a manhã que se aproximava.

Pouco depois de finalmente pegar no sono, Aaron foi despertado por uma batida na porta. O lampião tinha se apagado, então ele se desvencilhou do mosquiteiro às cegas e cambaleou pela escuridão até a frente da casa. "Estou indo!", ele gritou, mas as batidas continuaram, inabaláveis. O visitante era tão insistente que ele se perguntou se aquilo seria uma emergência, um ataque terrorista ou uma rebelião, e a equipe do Corpo da Paz teria chegado para levá-lo de helicóptero a um lugar seguro. Essa possibilidade era ao mesmo tempo assustadora e um pouco empolgante, mas, quando ele finalmente destrancou a porta, não havia ninguém do lado de fora.

Confuso, ele saiu andando pelo terreno. A noite cheirava a carvão e esterco, e o frio lhe causou arrepios na pele. A última batida havia soado poucos segundos antes de ele abrir a porta; parecia impossível que uma pessoa pudesse ter tido tempo para fugir. Mas, sob a luz pálida da lua, ele viu que o quintal estava vazio, o portão estava trancado e tudo ao seu redor estava imóvel.

"Oi?", ele gritou, mas não ouviu nenhuma resposta a não ser a própria respiração ofegante.

Voltou para dentro, trancou a porta e ajeitou novamente o mosquiteiro, prendendo-o com cuidado por baixo dos cantos do colchão — mas, assim que entrou debaixo das cobertas, as batidas recomeçaram. Ele escancarou a porta três vezes seguidas e não viu nada. Uma hora ele saiu de mansinho pelos fundos e tentou dar a volta na casa para pegar seu perseguidor no flagra, mas assim que pisou lá fora as batidas diminuíram e pararam. Voltou para casa e sentou com as costas escoradas na parede, tentando não sucumbir ao pânico. Foi aí que as batidas começaram mais uma vez, e o som de alguma coisa martelando sua porta de metal se tornou ensurdecedor. "Vai embora!", ele gritou, cobrindo os ouvidos com as mãos. "Vai embora! *Toka hapa*! Vai embora!" Mas — era absurdo, bizarro, chocante — as batidas continuaram pelo resto da noite.

Ao amanhecer, quando Aaron estava com os olhos queimando e os pensamentos inquietos pela falta de sono, a porta enfim ficou em silêncio. Supondo que seu agressor poderia ter deixado pistas que só seriam visíveis à luz do dia, Aaron saiu tropeçando de casa e se deparou com nada menos que um monte de bosta recém-produzido e posicionado com capricho bem no meio da varanda.

Aquele fedor íntimo e fresco o deixou sufocado. Sacudiu o braço na frente do nariz, voltou correndo para dentro e trancou a porta, mas ainda assim tinha certeza de que podia sentir o cheiro. Depois ele bebeu duas garrafas de cerveja quente para criar coragem e recolheu as fezes com folhas de jornal, sentindo o calor escorregadio que se propagava através do papel fino. Em seguida ele correu pelo quintal com os braços esticados e arremessou a bola amarrotada por cima do muro, na rua.

Aaron sabia que, se não fosse para a escola aquele dia, perderia qualquer chance de um dia conseguir controlar a turma 6, mas não teve forças para fazê-lo. Ficou deitado no sofá, suando, com o rosto sob as cobertas, tentando identificar o mais provável suspeito do ataque daquela noite. A delicada e ronronante Linnet? A vulgar Roda Kudondo? Ou uma opção menos óbvia, como a bela Mercy Akinyi, que uma vez entregou uma prova em que a única coisa escrita eram as palavras *eu amo o Mo-*

ses Ojou repetidas mil vezes? Talvez fosse a Milcent Nabwire, que na semana anterior havia levantado a mão durante a aula e perguntado: "*Mwalimu*, será que... será que... é verdade que... que *wazungu*... é verdade que...", e depois, num grande ataque de gagueira: "*Mwalimu, ni kweli wazungu hutomba wanyama?*". Para tentar disfarçar a própria lentidão na hora de traduzir, ele fingiu que estava refletindo longamente sobre a pergunta, franzindo o cenho e arqueando as sobrancelhas, e, só quando finalmente conseguiu decifrar o significado (*Professor, é verdade que gente branca trepa com animais?*), ele percebeu que tinha caído feito um idiota na pegadinha da menina.

Ou talvez fosse a Anastenzia Odenyo, uma das muitas alunas órfãs da turma, que era chefe de família e criava cinco irmãos mais novos. Ela ia à escola tão raramente que ele quase não conseguia se lembrar de seu rosto, embora às vezes cruzasse com ela no vilarejo, sempre com cara de cansada, abatida, com uma cesta de compras equilibrada na cabeça e uma criança pendurada no quadril. Certa vez ele se ofereceu para pagar pelo punhado de cebolas que ela estava comprando no mercado, dizendo que torcia para que ela pudesse voltar para a escola em breve. Ela aceitou o monte de moedinhas que ele ofereceu, depois apontou para seu iPod e disse em swahili alguma coisa que ele não conseguiu entender.

"Para ouvir música", ela disse em inglês, pronunciando cada palavra com cuidado. "Eu gosto de ouvir música." Era comum que lhe pedissem seus pertences, mas ele sempre ficava desconfortável.

"Não, Anastenzia", ele disse. "Desculpa."

"Tá bom", ela disse. Ela acalmou a criança que estava carregando, que tinha começado a chorar. "Quem sabe depois. Obrigada por cebolas, *Mwalimu*. Tchau." Ele já estava quase chegando em casa quando vislumbrou a possibilidade perturbadora de que ela não tivesse pedido o iPod de presente, mas que só quisesse ouvir uma música.

De qualquer forma, poderia ter sido Linnet ou Roda ou Mercy ou Milcent ou Anastenzia... mas também poderia ter sido Stella Khasenye ou Saraphene Wechuli ou Veronica Barasa ou Anjeline Atieno ou Brigit Taabu ou Purity Anyango ou Violeta Adhiambo. Para falar a verdade, poderia ser qualquer uma delas, porque todas o abominavam, sem exceção.

O diretor da escola foi à sua casa no meio da tarde, e Aaron disse que estava doente. O diretor alertou Aaron sobre os perigos da malária e falou que poderia pedir a uma das crianças que lhe trouxesse paracetamol, mas Aaron recusou educadamente e voltou rastejando para a cama. Mais tarde, Grace apareceu no horário de costume, e ele, trêmulo e solitário, a chamou para entrar. "O que você tem?", ela exigiu saber assim que o viu. Ele contou uma versão reduzida do suplício da noite anterior, mas não teve coragem de admitir que alguém tinha cagado na varanda. Como havia acontecido depois da cantada vulgar de Roda, de alguma maneira a insolência do ato tinha feito com que ele, a vítima, sentisse mais vergonha do que o agressor. Ele já esperava que Grace não acreditaria quando ele contasse que as batidas continuaram até o amanhecer — até ele custava a acreditar —, mas, quando terminou de contar a história, preparado para ser ridicularizado, ela só fez que sim com a cabeça e disse num tom sábio: "Ah... É um dos corredores noturnos".

"Corredores noturnos?", ele repetiu.

"Não te ensinaram sobre os corredores noturnos na sua escola do Corpo da Paz?"

Algum tempo antes, Aaron tinha mencionado as oito semanas de treinamento que recebera no Corpo da Paz antes de chegar a Butula, e desde então tinha a impressão de que Grace achava que ele havia passado meses em uma sala de aula estudando a vida no Quênia nos mínimos detalhes, desde o jeito correto de cumprimentar um parente idoso até a melhor maneira de fatiar uma manga. Ela parecia chocada até mesmo diante de seus menores erros, e às vezes ficava francamente ofendida com a gravidade da incompetência de seus professores imaginários.

"Os corredores noturnos são uma coisa muito comum entre o povo luia", ela lhe disse. "Causam vários problemas correndo pelados por aí." Talvez inspirada pela expressão incrédula de Aaron, ela baixou a voz para um tom mais masculino, franziu as sobrancelhas e transformou a explicação numa performance. "Eles chegam, *bum, bum, bum,* fazendo uns barulhos bem assim", ela demonstrou socando o punho no ar, "e esfregam os *ninis* na parede da sua casa", ela arrebitou a bunda e apontou o dedo, "e se você der muito azar eles te deixam um presentinho." Ela deu uma risadinha e concluiu de forma enfática: "Sim! São os corredores noturnos".

Aaron passou o resto da noite tentando fazer Grace confessar que tinha inventado aquilo tudo. Ela já tinha contado histórias sobrenaturais absurdas outras vezes — uma delas sobre um cara que tinha sido amaldiçoado e por isso cantava como um galo toda vez que urinava; outra sobre uma bruxa que tinha lançado um feitiço num casal adúltero e então eles ficaram grudados enquanto faziam sexo e precisaram ir para o hospital para passar por uma separação cirúrgica —, mas sempre de um jeito que parecia brincadeira, como se soubesse que ele não ia acreditar, como se quisesse ser desafiada. Da existência dos corredores noturnos, entretanto, ela parecia totalmente convencida. Não, não eram espíritos, eram pessoas de verdade, forçadas a correr por uma espécie de doença mental demoníaca. A identidade dessas pessoas era sempre mantida em segredo, porque, se a comunidade descobrisse que você era um dos corredores noturnos, aí, meu filho, você estava na pior. Certa vez, em uma das três cidades vizinhas, uma corredora noturna havia sido descoberta e praticamente linchada, até que se deram conta durante o dia que ela era a respeitável esposa de um pastor.

Com o ceticismo sendo lentamente corroído pela convicção de Grace, Aaron perguntou o que alguém podia fazer para se livrar do assédio de um corredor noturno. Grace começou a contar uma história complicada sobre como os melhores corredores trabalhavam em duplas, e os rituais elaborados que criavam para não serem descobertos, mas de repente ela parou de falar e sacudiu a cabeça com certo desespero. "Não! Na verdade, o problema é que é quase impossível parar os corredores noturnos, porque, quando você tenta persegui-los, eles podem se transformar numa coisa tipo um gato ou um passarinho, ou até um leopardo, então uma pessoa normal não tem nem chance, sabe?"

"Grace!", Aaron choramingou enquanto ela explodiu numa gargalhada. "Não tem graça!"

Grace bateu a mão na mesa e gritou: "Errado! Tem graça, sim. O seu problema é que você é sério demais. 'Ai, não, uma criança miou pra mim!' 'Ai, não, alguém bateu na minha porta no meio da noite!' Tem coisas muito piores do que alguém miar pra você. Tá, você tem os seus problemas... Mas só por isso ninguém mais pode rir?".

"Só acho que você podia ser um pouco mais compreensiva", Aaron disse, taciturno, bebendo o resto da coca-cola.

Na manhã seguinte, revigorado por oito boas horas de sono, Aaron decidiu se aventurar pelo campus. Em vez de ir para sua sala de aula, porém, ele se apresentou à sala do diretor. Os pés do diretor estavam em cima da mesa, e a sola de um dos sapatos estava enegrecida por uma mancha de chiclete. "*Mwalimu*, Aaron!", o diretor exclamou. "Como vai essa malária?"

"Não era malária", Aaron disse. "Estou bem melhor. Mas tenho que falar com o senhor sobre as meninas da turma 6. O comportamento delas saiu do controle."

Enquanto o diretor ouvia, balançando na cadeira, Aaron iniciou uma ladainha sobre os problemas da turma 6. Elas jogavam objetos nele. Elas o imitavam. Elas faziam perguntas chulas. Elas se recusavam a fazer as lições. Elas não o tratavam com o devido respeito. Quando Aaron contou a história do miado da Linnet, o diretor esboçou uma careta, mas, quando ele descreveu o ataque à sua casa, o diretor largou as pernas dianteiras da cadeira no chão de forma ruidosa.

"Não!", o diretor declarou. "Isso é sério demais. Como você consegue dormir com uma perseguição dessas? Uma pessoa aparecendo na sua porta, batendo, batendo, batendo a noite inteira!"

Aaron estava prestes a concordar, mas, antes que pudesse dizer qualquer coisa, o diretor prosseguiu: "Isso não é só um inconveniente, não! É um verdadeiro problema da nossa comunidade, esse hábito horrível dos corredores noturnos!".

Aaron se encolheu na cadeira, e o diretor abriu um sorriso enorme, exibindo uma boca cheia de dentes úmidos e brilhantes. Ele apertou os ombros de Aaron. "Meu amigo, se você quer que a sua turma tenha disciplina, você precisa disciplinar essas alunas! Da próxima vez que uma dessas garotas engraçadinhas miar pra você, você... pá!" Ele bateu o jornal no ar. "Faça isso, e eu acho que você não vai mais receber nenhuma visita desse corredor noturno."

Derrotado, Aaron voltou para a sala de aula. Se fosse qualquer outro dia, as meninas teriam ido à loucura em sua ausência, mas hoje estavam perfeitamente sentadinhas em suas carteiras, com as pernas bem fechadas e as mãos unidas. Centenas de olhos o acompanharam enquanto ele andava até a frente da sala. Quando pigarreou e se preparou para falar, ele se permitiu um momento de esperança. Talvez tenha acabado. *Talvez elas finalmente tenham percebido que passaram dos limites.*

"Boa tarde, meninas", Aaron disse à turma.

Sons de pés esfregando e cadeiras arranhando preencheram o ar, e a turma 6 se levantou para cumprimentá-lo a uma só voz.

"*MIAU!*"

Em meio à histeria que logo se instalou, Aaron agarrou o braço da menina mais próxima a ele: Mercy Akinyi, aquela que amava o Moses Ojou. Mercy deu um grito e cravou as unhas na mão dele, mas ele a afastou com um movimento brusco e a carregou em direção à porta. Já estavam quase no pátio quando as outras meninas perceberam o que estava acontecendo e, assim que se deram conta, foram atrás em massa e o envolveram num rebuliço de vozes agudas. Cuspe e papel e sapatos voaram ao redor dele, mas Aaron se concentrou apenas em controlar sua única e contorcida refém.

Atraídas pela confusão, o restante das alunas da escola transbordou das salas, e os professores curiosos não moveram um dedo para impedi-las. Sob os olhares da escola inteira, Aaron empurrou Mercy até o meio do pátio e depois, como era de costume, levantou suas mãos no alto da cabeça e as colocou no mastro. A saia xadrez azul e branca de Mercy se ergueu na parte de trás dos joelhos, expondo suas pernas negras e lisas. No chão, dezenas de varas finas cobriam a grama, restos das surras anteriores. Aaron pegou uma delas e encostou na perna de Mercy. Um músculo robusto da panturrilha se contorceu sob sua pele.

O estômago de Aaron tinha ficado gelado e oleoso. Ele pensou que talvez perdesse o controle dos intestinos, mas ergueu a vara para deferir o golpe. No mesmo instante, Mercy virou o rosto e sorriu de leve.

"*Miau*", ela sussurrou.

Ele não conseguiu. Jogou a vara no chão e foi para casa.

Grace não apareceu naquela noite, mas o corredor noturno sim. Na manhã seguinte, Aaron abriu a porta e por um instante ficou surpreso em encontrar a varanda imaculada, mas de repente o mau cheiro o atingiu, e ele se virou e deu de cara com uma faixa marrom densa que chegava à altura da cintura e formava um círculo contínuo nas paredes brancas da casa.

Aaron entrou na casa e telefonou para a supervisora do Corpo da Paz. Disse que estava sendo perseguido no vilarejo, que sentia que já não tinha mais nada a oferecer à comunidade, que queria voltar pra casa. Ele esperava que ela tentasse demovê-lo da ideia ou que o consolasse dizendo que seu trabalho era valioso, mas ela não fez nada disso. A organização tinha praticamente abandonado Aaron em sua região designada, mas, assim que ele quis sair, foi como se tivesse acionado uma alavanca e ativado o mecanismo de uma máquina muito complexa. A supervisora só perguntou se ele achava que corria risco no vilarejo ou se ele havia pensado em causar algum dano a si mesmo. Quando disse que não, ela pediu que fosse ao escritório no dia seguinte para começar a preencher a documentação de afastamento, e mais nada. Não poderia ter sido mais fácil. Ele tinha chegado ao limite.

Depois que desligou o telefone, Aaron encheu um balde de água morna cheia de sabão. Amarrou uma camiseta velha, saiu da casa, ficou de joelhos e esfregou as paredes até ficarem brilhantes. Não sentiu nojo nem repulsa, só uma espécie de desdém anestesiado. Era uma escolha delas mandá-lo embora. Assim como bater numa criança era uma escolha. Como fazer sexo sem proteção era uma escolha. *Foram elas que escolheram*, ele disse a si mesmo, e as palavras tinham gosto de sangue.

Enquanto o sol se punha em seu último dia no vilarejo, Aaron caminhou até o centro da cidade pela última vez e comprou um *chapati* e uma coca, e em seguida, depois de refletir um pouco, mais um *chapati* e uma coca para Grace. Ele se perguntou o que ela diria quando soubesse que estava indo embora, e ouviu de novo sua voz num tom de surpresa dentro da cabeça: *Eles não te ensinaram sobre os corredores noturnos na sua escola do Corpo da Paz?*.

Não, Grace, ele pensou. *Não me ensinaram nada do que eu precisava saber*.

Naquela noite não houve sinal de Grace, e a princípio nem dos corredores noturnos; só um calor sufocante que se enfiou na casa e não saiu mais. Respirando com dificuldade mas com medo de abrir as janelas, Aaron ficou só de cueca, enxugando a testa encharcada de suor com um lenço, de cócoras no colchão. No colo, uma ferramenta que havia arranjado no galpão da casa, uma daquelas lâminas compridas e achatadas que as pessoas da região chamavam de "cortador de grama". Ele tinha dito a verdade à supervisora: ele não sentia que corria risco no vilarejo. Mas estava aterrorizado e humilhado e vulnerável, e não aguentava mais viver assim.

As batidas começaram logo depois da meia-noite. *Toc, toc, toc*, fez o visitante, primeiro na porta, depois na janela. *Toc, toc, toc*. Porta, janela, janela, porta, até que a casa toda ficou envolvida em batidas meio femininas, farfalhantes. Com certeza uma só pessoa não poderia se mover tão rápido. Talvez toda a turma

6 tivesse vindo fazer uma visitinha, uma excursão escolar sádica. Mais uma vez, Aaron viu Mercy com as mãos no mastro, piscando para ele. Mesmo quando ele sentiu a raiva de que precisava para lhe dar uma surra, ela não teve medo dele, e agora olha onde ele tinha vindo parar, se escondendo em casa feito um covarde. *Eu vim aqui pra ajudar vocês*, ele pensou. Ele se levantou, posicionando o cortador de grama sobre o ombro como um taco de beisebol, e se arrastou em direção à porta, enquanto as batidas se espalhavam pela casa como asas se abrindo.

Espera.
Espera.
Toc, toc, toc.
Agora.

Aaron escancarou a porta. Duas pernas negras nuas flutuaram diante dele, dedos do pé expostos e ágeis, e de repente uma delas deu um chute direto em seu rosto, e cinco unhas peroladas lhe arranharam a bochecha. Gritando, Aaron sacudiu o cortador de grama loucamente — mas as pernas saíram de perto e o deixaram sozinho, olhando para a porta aberta e a noite escura e fria, a lâmina alojada na madeira descascada da soleira.

Aaron fraquejou, perdeu o ar. Cuspiu bílis no lugar em que, se lâmina e carne tivessem se encontrado, a perna decepada de uma menina teria quicado no chão. O choque do que ele quase chegou a fazer o invadiu e ondulou, elétrico, em sua espinha dorsal. Pensou em como teria sido se tivesse acertado a menina. O osso triturado. O grito. O súbito esguicho de sangue vermelho-escuro.

Mas ela tinha escapado. Agora estava no telhado, e as batidas foram substituídas por uma chuva sussurrada de *pá, pá, pás*. Ele saiu cambaleando pelo quintal, bem a tempo de ver uma sombra pequena e escura se arrastando pelo telhado. Ela estava fora de seu campo de visão, mas estava encurralada, porque o muro daquele lado do terreno era alto demais para uma menina escalar.

"Mercy?", ele implorou. "Linnet? Roda? Venham aqui falar comigo. Por favor."

Do outro lado da casa veio um leve *ploft*, quando quem quer que estivesse no telhado caiu no chão. Aaron avançou em direção ao som, cortando caminho pela saída. Era impossível que ela tivesse sapateado em volta da casa sem que ele a visse, e, no entanto, o próximo ruído surgiu logo atrás dele, uma risadinha delicada e depois um insulto sussurrado. "*Miau!*"

A raiva que ele pensava ter exorcizado veio à tona de novo. Ele girou e se jogou para agarrá-la, mas ela escapou e ele a seguiu, saindo pelo portão e alcançando a rua, esquecendo que estava descalço, esquecendo que estava só de cueca, esquecendo qualquer coisa que não fosse aquela raiva.

Ela correu na rua escurecida pela noite, e ele só conseguiu visualizar o contorno borrado da sombra dela, primeiro do tamanho de uma criança, depois grande como um homem, depois pequeno como um gato, e depois do tamanho de uma menina de novo. Ele a perseguiu por ruas vazias, passou por casas fechadas e lojas trancadas, entrou nos manguezais rentes ao chão e atravessou um bosque de árvores altas que o arranharam, prendendo seus cabelos e deixando pequenos rastros de sangue que pareciam marcas de chicote no peito. Ele correu sem parar, passou por uma igreja e um ferro-velho e um campo de trigo, e as folhas novas afiadas como lâminas cortaram suas pernas, e finalmente pulou um muro e acabou despencando num terreno maravilhosamente iluminado pela luz de fogueiras.

Piscando, Aaron cobriu os olhos com a mão. De início ele não conseguiu distinguir as pessoas das sombras. O que a princípio ele pensou ser um homem alto e muito magro tremulou e se revelou um mastro. Ele piscou de novo e percebeu que o quintal era familiar, e o prédio que ficava no fundo mais ainda. Reunidas em volta da fogueira, que ardia agora como sempre ardia em comemorações, estavam as meninas da turma 6. Ao lado delas estavam as meninas da turma 5, turma 7, turma 8. Várias tinham cocas e fantas nas mãos. Todas tinham a boca brilhante do bode que assaram no fogo.

Era uma festa, uma comemoração do fim do ano letivo. Aaron se agachou diante delas, ofegante, e quando as meninas o avistaram seus olhos se arregalaram, e aí uma delas apontou o dedo, com o rosto contorcido de horror, e deixou escapar um minúsculo ganido de medo. Aaron se virou para olhar para trás e, naquele instante, ele acreditou em todas as criaturas das histórias de Grace, até que viu a parede branca atrás dele e se lembrou que era o perseguidor, não o perseguido.

Algumas das meninas menores começaram a chorar um pranto magoado e assustado, mas nesse momento Roda Kudondo gritou num tom corajoso: "Pois é! Corredor noturno!", e os soluços se transformaram em ofensas e vaias.

Aaron olhou para baixo e se viu como elas o viam: uma aparição fantasmagórica, um estranho com olhos de gato, pálido como um cogumelo. A cueca rasgada e coberta de terra; gravetos e folhas penduradas nos pelos que caíam entre as pernas, a pele iluminada por um rubor crescente de vergonha. Meninas corajosas, ele pensou de repente, enquanto as vaias se elevavam ao redor delas e as protegiam. Meninas corajosas, que conseguem transformar o terror em riso, que riem em vez de chorar.

"Psiu!", veio um sussurro do outro lado do pátio. "Aaron!"

Ele olhou para cima e viu uma figura envolta em sombras. A princípio, pensou que era só mais uma das alunas da escola, mas em seguida ela sorriu e ele reconheceu suas pernas compridas, o espaço entre os dentes.

"Psiu!", o sussurro veio outra vez. Ela acenou e pronunciou uma frase em swahili.

Ukimbie nami.

Corre comigo.

Grace, que não tinha medo dele. Grace, que ria da cara dele e lhe contava histórias, que o provocava e o assustava; Grace, que, em vez de chorar ou esbravejar, corria. No dia seguinte ele embarcaria numa longa viagem para casa, mas naquela noite Grace corria pelada pelo quintal, sem que ninguém a visse, a não ser ele.

E naquela noite, ágil como um gato, ele correu atrás dela.

O espelho, o balde e o velho fêmur

Era uma vez uma princesa que precisava se casar. Ninguém esperava que isso pudesse virar um problema. A princesa tinha olhos cheios de vida e um rosto doce e delicado. Adorava sorrir e brincar; tinha a mente afiada, presente e curiosa, e, embora passasse mais tempo com a cara enfiada num livro do que era considerado adequado naquela época (ou em qualquer época), bom, pelo menos isso garantia que ela sempre tivesse uma história para contar.

Pretendentes vinham de todos os cantos do reino para visitar a princesa, e a princesa recebia cada um deles com a mesma elegância. Ela fazia perguntas e em contrapartida respondia as deles; andavam de braços dados enquanto davam uma volta pelos jardins; ela ouvia, e ria, e trocava uma história por outra, e era tão agradável e tão animada que todos os pretendentes voltavam para casa pensando que uma vida ao lado da princesa não seria uma vida desagradável, isso sem falar na alegria de um dia chegar ao trono.

Depois dessas visitas, a princesa se reunia com o rei e a rainha e o conselheiro real no salão, e eles a cobriam de perguntas. O que ela tinha pensado do último pretendente? Era bonito, educado, inteligente, gentil?

Ah, sim, a princesa dizia com seu sorriso com covinhas. Sem dúvida. Tudo isso.

E em comparação ao pretendente anterior?

É verdade, o pretendente anterior também era muito atraente.

Mas o último era melhor?

Sim, provavelmente. Bem, não. É difícil dizer. Ambos tinham tantas qualidades!

Devemos convidar os dois novamente, para que você possa compará-los?

Ah, não, não acho que seja necessário.

Então você está dizendo que não gostou de nenhum dos dois.

Gostei, gostei! É só que...

Só quê?

Parece um mau sinal, não parece?, que eu tenha tanta dificuldade para escolher um dos dois? Eu estava pensando que, se não for dar muito trabalho, talvez pudéssemos...

Convidar mais um?

Sim.

Mais um pretendente.

Sim. Por favor.

Se é que ainda resta algum.

Sim, se é que ainda resta algum. Podemos? Por favor?

E a essa altura a rainha apertava os lábios finos, o conselheiro real fazia cara de preocupado, mas guardava sua opinião para si, e o rei soltava um suspiro e dizia: Pode ser.

Dessa maneira, um ano se passou, e depois outro, e depois

mais três outros, e a princesa conheceu todos os príncipes do reino, e todos os duques, e todos os viscondes, e todos os investidores sem-títulos-mas-absurdamente-abastados, e todos os artesãos sem-títulos-e-não-muito-abastados-mas-dignos-de-respeito, e finalmente todos os artistas, que não tinham nem títulos nem bens nem muito respeito, e ainda assim, aos olhos da princesa, nenhum deles conseguiu se destacar em relação a todos os outros.

Não demorou para que fosse impossível viajar quinze quilômetros sem dar de cara com um dos antigos pretendentes da princesa. E seria completamente diferente, todos os pretendentes concordavam, se tivessem sido rejeitados com um motivo claro, mas acabarem descartados simplesmente porque não eram, sob um critério bem vago, bons o bastante — isso era um golpe inegável.

Depois de cinco anos, a princesa havia rejeitado quase todos os homens elegíveis do reino, e os rumores tinham começado a se espalhar, e, com eles, a insatisfação: talvez a princesa fosse egoísta. Mimada. Arrogante. Ou talvez para ela aquilo fosse só uma brincadeira, e ela não quisesse de fato se casar.

Ao fim do quinto ano, o rei perdeu a paciência. Ele informou a princesa que, no dia seguinte, todos os homens rejeitados seriam convidados a retornar ao castelo. A princesa escolheria um e se casaria com ele e tudo estaria terminado. E a princesa, que também estava cansada desse cortejo e incomodada com a própria incapacidade de decidir, concordou.

Os pretendentes voltaram e, mais uma vez, a princesa andou entre eles, conversando e rindo e trocando histórias, embora talvez não com a mesma vivacidade de antes, e cada um dos pretendentes decidiu novamente que uma vida ao lado da princesa não seria *de todo* desagradável, considerando principalmente a alegria de um dia chegar ao trono.

O dia se passou como previsto e, ao pôr do sol, o rei e a rainha e o conselheiro real se reuniram com a princesa no salão e perguntaram qual era sua decisão. A princesa não respondeu de imediato. Mordeu os lábios. Roeu as unhas. Passou a mão pelo cabelo escuro e comprido. Enfim sussurrou:

Posso ter mais um dia, por favor?

O rei esbravejou e virou a mesa num acesso de fúria. A rainha deu um pulo e um tapa na bochecha da princesa. A princesa enterrou o rosto nas mãos e chorou, e tudo se perdeu em caos e sofrimento até que o conselheiro real interveio.

Deixem que ela tenha mais uma noite para avaliar, disse o conselheiro real. Ela pode escolher o marido pela manhã.

O rei e a rainha não estavam nada contentes, mas o conselheiro real nunca os havia guiado à direção errada, então permitiram que naquela noite a princesa fosse para a cama com a decisão ainda pendente.

Sozinha em seu quarto, a princesa ficou deitada sem dormir, se revirando nos lençóis e sondando seu coração, como havia feito todas as noites nos últimos cinco anos. Por que ninguém a satisfazia? O que ela procurava e não conseguia encontrar? Seu coração abatido não lhe ofereceu resposta alguma. Exausta e infeliz, ela havia acabado de adormecer quando ouviu uma batida na porta.

A princesa se ajeitou na cama. Seria a rainha, disposta a oferecer um beijo de desculpas e compaixão? O rei, trazendo mais uma ameaça ou alerta? Ou talvez fosse o conselheiro real, sugerindo alguma tarefa mágica que ela pudesse apresentar aos pretendentes para destacar o mais digno de todos?

Mas, quando a princesa abriu a porta, a figura que estava em pé no corredor não era nem o rei, nem a rainha, nem o conselheiro real. Era alguém que ela jamais tinha visto.

O visitante da princesa vestia um manto negro que ia da cabeça aos pés com um capuz negro cobrindo os cabelos. Mas seu rosto, quando ela o olhou de frente, era belo e cativante e acolhedor. As bochechas eram redondas, os lábios eram cheios e macios, e ele tinha olhos azuis-claros fascinantes.

Ah, a princesa sussurrou. Olá.

Olá, o visitante sussurrou de volta.

A princesa sorriu, e, quando o visitante devolveu o sorriso, ela sentiu que todo o seu sangue tinha sido drenado do corpo e substituído por uma mistura de bolhas de sabão, luz e ar.

A princesa puxou o visitante para dentro, e os dois passaram a noite juntos em sua cama com dossel, se beijando e brincando e conversando até o nascer do dia. Quando adormeceu, no instante em que o sol nascia, a princesa estava feliz como nunca estivera antes, e, quando sonhou, sonhou com uma vida repleta de uma alegria que nunca ousara imaginar, uma vida que transbordava riso e felicidade e amor.

A princesa despertou com um sorriso frouxo nos lábios, a mão de seu amante na coxa, e o rei e a rainha e o conselheiro real a olhando de cima.

Ai, meu Deus, a princesa disse, corada. Eu sei o que isso está parecendo. Mas, ouçam, eu consegui. Finalmente, depois de todos esses anos. Eu tomei minha decisão.

Ela se virou para o amante, que continuava escondido sob os lençóis. Eu o amo, ela disse. Nada mais importa. Este é o homem que eu escolhi.

O rei e a rainha sacudiram a cabeça com tristeza. O conselheiro real arrancou as cobertas da cama e as jogou no chão, e logo depois, antes que a princesa pudesse se opor, ele ergueu o longo manto negro do visitante e o sacudiu. De dentro do manto caíram um espelho quebrado, um balde de metal amassado e um velho fêmur.

A princesa sentiu algo rastejando na coxa, onde a mão do amante havia repousado. Ela olhou para baixo e viu que era apenas sua própria mão, trêmula de medo.

Não consigo compreender, a princesa sussurrou. O que vocês fizeram com ele?

Não fizemos nada com ele, disse o conselheiro real. Isso é tudo que ele sempre foi.

A princesa abriu a boca para falar, mas nenhuma palavra saiu.

Aqui, disse o conselheiro real. Deixe-me mostrar.

Ele ergueu o fêmur da cama e o arremessou contra a parede. Ele prendeu o espelho no topo do osso com um pedaço de barbante e pendurou o balde no meio, e depois cobriu tudo com o manto negro.

Viu só?, disse o conselheiro real. Quando você olhou no rosto do seu amante, era o seu próprio rosto refletido no espelho quebrado. Quando ouviu a voz dele, era apenas sua própria voz ecoando neste balde amassado. E quando você o envolveu nos braços, eram suas próprias mãos acariciando suas costas, já que você estava segurando apenas este velho fêmur. Você é egoísta e arrogante e mimada. Você não é capaz de amar ninguém além de si mesma. Nenhum dos seus pretendentes jamais vai satisfazê-la, então acabe logo com essa sandice e case-se.

A princesa emitiu um som de sufocamento. Agarrou os próprios braços e mordeu a língua até sangrar, depois caiu de joelhos diante da coisa que havia sido seu amante. Quando se levantou novamente, seu rosto estava plácido, seu maxilar estava firme, e em seus olhos não havia nenhuma lágrima.

Sim, ela disse. Aprendi minha lição. Convoquem os pretendentes. Estou pronta para escolher.

Os pretendentes se reuniram no pátio, e a princesa caminhou entre eles, se desculpando por tê-los feito esperar tanto tempo. Em seguida, sem hesitação nem o menor sinal de dúvida, ela escolheu um marido: um jovem duque que era bonito, educado, inteligente e gentil.

Uma semana depois, a princesa e o duque se casaram. A rainha ficou muito contente. O rei ficou satisfeito. O conselheiro real guardou sua opinião para si, mas não escondeu uma expressão de arrogância. O clima de insatisfação que pairava sobre o reino se dissipou, e todos concordaram que as coisas tinham se resolvido da melhor forma possível.

No ano que se seguiu ao casamento da princesa, seu pai e sua mãe morreram, de modo que ela não era mais princesa, e sim rainha. Seu marido, agora rei, tratava a esposa com toda cortesia e elegância. Os dois se davam bem, e o rei governou o reino de forma bem-sucedida por muitos anos.

No entanto, após quase uma década de casamento, depois que a rainha dera à luz dois de seus filhos, o rei descobriu que havia se apaixonado pela esposa. Isso complicou o relacionamento, pois significava que ele não podia mais ignorar o fato de sua esposa ser muito, muito triste.

O rei sabia que houvera algum mistério envolvendo o processo pelo qual ele havia sido escolhido; ele não era tolo, e tinha consciência de que não havia causado nenhuma impressão especial na princesa durante o cortejo. Quando pensava sobre isso, algo que geralmente evitava, ele intuía uma situação não muito distante da realidade: que ela se apaixonara por alguém inadequado e fora proibida de ficar com aquele homem, por isso o escolhera no lugar. O rei não sentia um incômodo enorme por ter sido a segunda opção, mas odiava ver a esposa sendo consumida pela mágoa, e não conseguia deixar de se perguntar se o casamento seria a causa de tudo aquilo.

Por isso, certa noite, o rei perguntou cuidadosamente à rainha o que havia de errado, e se havia algo que ele pudesse fazer para ajudar. A princípio, a rainha tentou negar que estava infeliz, mas, depois de tantos anos juntos, um certo grau de confiança havia florescido entre eles, e finalmente ela contou ao rei toda aquela bizarra história.

Quando ela terminou, o rei disse: Essa é uma história muito esquisita. E a coisa mais esquisita disso tudo é: eu vivo com você há muito tempo, e eu diria que te conheço muito bem, e não acho que você seja egoísta, arrogante ou mimada.

Mas eu sou, a rainha disse. Eu sei que sou.

Como você sabe?

Sabendo, a rainha sussurrou. Eu me apaixonei por aquela coisa. Eu a amei como nunca amei mais ninguém: nem você, nem os meus pais, nem mesmo meus próprios filhos. A única coisa que um dia eu amei neste mundo foi uma geringonça grotesca feita com um espelho quebrado, um balde amassado e um velho fêmur. A noite que passei com aquilo na cama foi a única noite em que fui feliz na vida. E, mesmo depois de saber o que era, eu desejo aquela coisa, eu anseio por aquela coisa, eu ainda amo aquela coisa. O que isso quer dizer, a não ser que sou mimada, egoísta e arrogante, que sou incapaz de amar qualquer coisa que não seja um reflexo distorcido do meu próprio coração doentio?

Nesse momento a rainha caiu em prantos, e o rei a aninhou em seu peito. Sinto muito, ele disse, porque não conseguiu pensar em mais nada. O que eu posso fazer?

Não há nada a fazer, a rainha disse. Sou sua esposa. Sou mãe dos nossos filhos. Sou a rainha deste reino. Estou tentando ser uma pessoa melhor. Tudo o que peço é que você tente me perdoar.

É claro que eu a perdoo, o rei disse. Não há nada a perdoar.

Mas naquela noite o rei foi dormir profundamente perturbado e, quando despertou pela manhã, só conseguia pensar em uma forma de abrandar a agonia da rainha. Ele a amava tanto que, se precisasse abrir mão dela para vê-la feliz, talvez tomasse essa decisão — mas de que serviria libertá-la se a pessoa que ela amava não existia, a não ser em sua imaginação?

O rei passou dias mergulhado nesse enigma. Por fim, foi visitar o conselheiro real, e juntos bolaram um plano. Mesmo enquanto o elaboravam, o rei sabia que não era um plano exatamente bom, mas a rainha ficava a cada dia mais triste e mais pálida e o rei sentia que precisava fazer alguma coisa, ou se arriscaria a perdê-la para sempre.

Naquela noite, depois que a rainha adormeceu, o rei saiu no corredor na ponta dos pés e se cobriu com um longo manto negro. Bateu na porta e, assim que a rainha abriu, posicionou um espelho quebrado bem na frente do seu rosto.

O espelho que o conselheiro real lhe dera não passava de uma velharia. Até a mais pobre e mais vã das mulheres do reino teria jogado aquilo no lixo. O espelho era curvo e embaçado, como se coberto por uma fina camada de gordura, e havia uma rachadura profunda de cima a baixo, como se um fio de cabelo comprido atravessasse o vidro. E, ainda assim, no momento em que a rainha olhou no espelho, seu olhar foi tomado de tamanha ternura que o coração do rei quase se partiu ao meio. A rainha oscilou, fechou os olhos e grudou os lábios no próprio reflexo. Ah, ela sussurrou. Ah, como senti sua falta. Pensei em você todos os dias. Sonhei com você todas as noites. Sei que é impossível, e ainda assim tudo que eu sempre quis foi que nós nos encontrássemos.

Eu também senti sua falta, o rei sussurrou. Mas, assim que ele falou, a rainha abriu os olhos e deu um salto para trás.

Não, ela exclamou. Não! Está tudo errado. Você não é ele. Você não tem a voz dele. Não é isso que eu quero! Por favor, você só está piorando as coisas.

Ela se jogou na cama e, quando o rei foi se deitar ao seu lado, ela se recusou a olhar para o marido.

A rainha não saiu da cama por três dias. Quando finalmente se levantou, seus filhos correram ao seu encontro e subiram em seu colo. A rainha os abraçou, mas não sorriu quando a beijaram, e, quando as crianças contaram alegremente os pequenos detalhes de seu dia, ela demorou muito tempo para responder, como se falasse com eles de um lugar muito distante.

De início, o rei tentou respeitar os desejos da rainha e deixar que cuidasse de sua tristeza, mas, agora que a tinha visto feliz por um instante, mesmo que tão breve, ele achava ainda mais difícil testemunhar seu sofrimento. Como os dias passavam e a rainha continuava triste e pálida e quieta, o rei se convenceu de que, se pelo menos conseguisse tornar a ilusão um pouco mais convincente, seu disfarce poderia levar alegria à rainha, em vez de tristeza.

E assim, não muito tempo depois, o rei se colocou diante da porta do quarto da rainha, segurando um espelho quebrado numa mão e um balde de metal amassado na outra. O balde estava num estado ainda pior do que o espelho — enferrujado, encardido e malcheiroso, com uma mancha esbranquiçada de fungos se espalhando como leite derramado no fundo.

O rei bateu à porta, e a rainha a abriu, e mais uma vez ela olhou no espelho, e mais uma vez sua expressão se abrandou, e o coração do rei quase se partiu, e ela beijou o vidro e sussurrou palavras doces para seu amante imaginário. Mas dessa vez o rei ficou em silêncio, e o único som no quarto era a voz da própria rainha, ecoando. Chorando de alegria, a rainha se deixou cair no peito do rei — mas, assim que seus braços a envolveram, ela abriu os olhos e se afastou.

Não, ela disse. Você não pode me enganar assim. Seu toque não é igual ao dele. Por que você insiste em me fazer sofrer?

Incapaz de ouvir os pedidos de desculpas do rei, a rainha voltou para sua cama e não se levantou mais — nem quando o rei implorou, nem quando a filha suplicou pela presença da mãe, nem quando o conselheiro real exigiu que ela parasse de agir de forma tão tola e que uma vez na vida deixasse de pensar apenas em si mesma. Ela continuou deitada, imóvel, se recusando a comer ou beber, até que finalmente o rei decidiu que precisava tomar alguma atitude, ou ela certamente morreria.

Dessa vez, o rei abandonou qualquer tentativa de ludibriá-la. Levou o velho fêmur ao quarto da rainha em plena luz do dia. O osso era longo e amarelado, e ainda tinha pedaços de tendão pendurados, e buraquinhos minúsculos nas laterais, onde os cães o haviam roído. O osso cheirava a carne apodrecida, lixo e bílis, e o rei mal conseguia encostar nele sem sentir náuseas. Mesmo assim, amarrou o espelho e o balde ao osso com pedaços de barbante, e o cobriu com o manto negro e posicionou tudo no canto do quarto. Assim que ele terminou, a rainha abriu os olhos e soltou um lamento.

Por quê?, ela implorou. Por que você está fazendo isso comigo, se estou fazendo o melhor que posso para ser boa?

É impossível mudar o que você ama, o rei disse. Se isso significa que você é egoísta, arrogante ou mimada, então que seja. Eu amo você, e seus filhos amam você, e o povo do reino ama você, e não queremos vê-la sofrendo nem mais um minuto.

A rainha levantou da cama com as pernas bambas. Enquanto o rei a observava, ela olhou no espelho, sussurrou no balde, envolveu o velho fêmur nos braços — e sorriu.

Nos dias que se seguiram, os criados levaram comida para a rainha escolher e vinho para a rainha beber, e em pouco tempo a mais escura das sombras havia desaparecido de seus olhos, e os sulcos em seu rosto não eram mais tão profundos. Embora o rei estivesse contente que a rainha havia saído das profundezas do desespero, para ele a visão da esposa gemendo em êxtase com aquela coleção de quinquilharias era insuportável, então ele lhe deu privacidade, mas, quando voltou no dia seguinte, descobriu que ela havia levado aquela coisa imunda para a cama deles. Ele tentou contestar, mas assim que se aproximou a rainha sibilou com tamanha fúria que ele tropeçou para trás e saiu do quarto.

Depois que uma semana se passou, os filhos da rainha voltaram a perguntar pela mãe. O rei retornou ao quarto da rainha, e encontrou-a deitada nua entre as cobertas, aconchegando o espelho, cochichando dentro do balde e aninhando o velho fêmur nos braços.

O que você quer?, ela perguntou enquanto ele se aproximava, sem tirar os olhos do espelho.

Seus filhos sentem sua falta, o rei disse. Será que você não poderia vir brincar com eles por um instante?

Traga-os até mim, a rainha disse. Eles podem brincar aqui.

Jamais, o rei respondeu, enojado. Vá e cuide de sua família. Essa... coisa a estará esperando quando você voltar.

A rainha sussurrou algo quase inaudível, e em seguida inclinou a cabeça, ouvindo o próprio eco. Uma expressão horrível, maliciosa, surgiu em seu rosto.

Ah, ela disse com astúcia. Ah, sim.

Sim, sussurrou o balde.

Isso, ela respondeu ao balde. Sim.

De que você está falando?, o rei perguntou.

Você quer me convencer a sair daqui, a rainha disse. Você está com ciúmes. Assim que eu botar os pés lá fora, você vai entrar de mansinho e roubar meu espelho, meu balde e meu velho fêmur, e ficarei sozinha outra vez.

Sozinha, sussurrou o balde.

Sim, a rainha disse com tristeza. Sozinha.

Por favor, o rei implorou. Ouça-me. Não é isso que eu...

Saia daqui!, a rainha berrou, e em seguida começou a gritar, e as palavras ecoaram do balde de metal amassado até que o quarto ressoou uma cacofonia lancinante:

Deixe-nos em paz! Deixe-nos em paz! Deixe-nos em paz!

Depois disso, o próprio rei enlouqueceu. Ordenou que os criados tivessem a língua cortada, para que não pudessem contar a ninguém sobre o estado da rainha, e dispensou o conselheiro real e em seguida contratou um assassino para garantir que ele guardasse o segredo. Mentiu para os filhos, dizendo que a rainha havia ficado inválida, e criou uma lei que proibia qualquer pessoa de comentar sobre o que a havia acometido. Entretanto, apesar de todos os esforços, os rumores se espalharam. As más línguas diziam que, tarde da noite, a rainha despontava para fora do quarto e caminhava sobre o parapeito das torres, arrastando seu amante monstruoso, que saltava e serpenteava ao lado dela.

O rei governava o reino como podia, e tentava pensar em si mesmo como um enviuvado. Ele já não visitava a rainha, embora houvesse noites em que acabava perambulando enquanto dormia e, quando acordava, se via no corredor em frente ao quarto dela, com as mãos apoiadas na porta.

* * *

Um ano se passou, depois cinco, depois dez, até que, finalmente, incapaz de continuar carregando o peso da própria dor, o rei voltou ao quarto da rainha, decidido a falar com ela pela última vez e então tirar a própria vida.

O quarto da rainha estava iluminado por uma única vela que tremeluzia no canto. A princípio, desorientado pelas sombras, o rei pensou que o quarto estava vazio, mas, quando seus olhos se adaptaram à escuridão, ele conseguiu identificar uma forma pálida se contorcendo no escuro. De perto da cama veio um torvelinho de sussurros palpitantes, como o som que as larvas fazem quando expostas por uma pedra que alguém tirou do lugar. O som era tão angustiante que o rei estava prestes a sair correndo, mas nesse instante um feixe de luar prateado atravessou a janela e iluminou o que havia no emaranhado dos lençóis.

A criatura que ergueu o rosto em sua direção era uma coisa pavorosa, esquelética, com cabelos embaraçados, pele cadavérica e dois olhos enormes e cegos, havia muito habituados à escuridão. Mostrou os dentes e rosnou sem palavras, com as omoplatas nuas flexionadas sob a pele como asas grosseiras e malformadas. Em uma câmera lenta de sonho, o monstro que um dia fora a rainha escorregou da cama e começou a rastejar em direção ao rei, arrastando consigo o espelho, o balde e o velho fêmur.

O rei gritou e correu em direção à porta, mas, assim que a alcançou, foi atingido por uma visão da esposa como ela era quando ele a viu pela primeira vez — uma garota sorridente com um rosto delicado —, e a pena que ele sentiu encobriu o medo.

Tentando arranjar coragem, ele voltou para o quarto e se ajoelhou ao lado da mulher que amava. Eu lamento tanto, ele sussurrou, e em meio ao silêncio o balde de metal ecoou e devolveu suas próprias palavras.

Lamento tanto.

Com cuidado, com muito cuidado, o rei começou a retirar o velho osso das mãos cerradas da rainha. Tremendo, ela segurou com toda a força que podia, mas sua força não era páreo para a dele. De repente, ela soltou. A mão do rei escorregou. O osso caiu, o balde amassado foi para o chão com um barulho de sinos batendo e o espelho espatifou em milhares de pedaços.

A rainha franziu o cenho, confusa, e por um breve momento voltou a ser o que sempre fora. Em seguida ela despencou, como se os tendões tivessem sido rompidos, e, quando o rei tentou erguê-la pelo braço, ela sacudiu a mão no ar e golpeou o pescoço do rei com um caco do espelho quebrado.

Na manhã seguinte, a rainha saiu de seu quarto. Continuava branca feito um cadáver e magra até o osso, mas, quando abriu a boca, suas palavras foram suaves e claras. Ela contou a todos sobre a tragédia que ocorrera na noite anterior; que o rei, ensandecido por tantos anos de sofrimento, havia procurado por ela em seus aposentos e rasgado a própria garganta. Ela disse que estivera doente por muito tempo, mas agora se sentia melhor, agora estava preparada para reinar no lugar do marido. A história era um tanto suspeita, e os olhos da rainha brilhavam loucamente enquanto ela contava, mas ela ainda era a rainha, e ninguém, nem mesmo seus próprios filhos, ousou se opor.

A rainha assumiu o trono e, não muito tempo depois, uma figura vestida em um velho manto negro surgiu ao seu lado. Embora ninguém tivesse permissão de se aproximar para analisá-la de perto, um odor desagradável exalava dela, e, às vezes, quando a rainha se inclinava para ouvir seus conselhos, aqueles que se ajoelhavam diante dela pensavam que viam, em meio ao tecido do capuz, uma imagem do próprio rosto da rainha, estilhaçado em milhares de caquinhos. E assim a rainha viveu o resto de seus dias, e quando morreu foi enterrada conforme seu desejo, com a figura do manto negro posicionada no caixão ao seu lado.

Os filhos da rainha cresceram, e envelheceram, e morreram quando sua hora chegou, e, não muito tempo depois, o reino sucumbiu e foi dominado por desconhecidos. Das profundezas da terra, o balde de metal ecoou o som de vermes ávidos e o espelho refletiu a dança de um declínio sombrio. Logo a triste história da rainha foi completamente esquecida. Sua lápide desabou, as estações do ano apagaram seu nome, e, quando um século havia se passado, o velho fêmur era só um entre muitos ossos numa pilha, o balde de metal amassado tinha sido havia muito tempo silenciado, e o espelho estilhaçado refletia apenas um límpido crânio branco.

Cat Person

Margot conheceu Robert numa noite de quarta-feira, quase no fim do semestre. Ela estava trabalhando na bonbonnière do cinema alternativo do centro da cidade quando ele apareceu e comprou uma pipoca grande e um pacote de balas de canela.

"Essa sua escolha é... peculiar", ela disse. "Acho que eu nunca cheguei a vender um pacote dessas balas."

Flertar com os clientes era um hábito que ela adquirira na época em que trabalhava como barista. Ajudava nas gorjetas. No cinema ela não ganhava gorjeta, mas o trabalho seria um tédio sem os flertes, e ela achou que Robert era bonitinho. Não tão bonitinho a ponto de ela, digamos, puxar assunto com ele numa festa, mas bonitinho na medida para que tivesse uma queda por ele caso se sentassem perto um do outro numa aula chata — embora ela estivesse bem segura de que ele já terminara a faculdade e tinha pelo menos uns vinte e tantos anos. Ele era alto, e ela achava isso bom, e deu para ver um pedaço de tatuagem escapando por debaixo da manga dobrada da camisa. Mas era meio gordinho, tinha a barba um pouco comprida demais e os ombros levemente curvados para a frente, como se tentasse esconder alguma coisa.

Robert não captou o flerte. Ou, se captou, só o demonstrou dando um passo atrás, meio que obrigando Margot a se aproximar, a se esforçar um pouco mais.

"Bom...", ele disse. "Beleza, então." E guardou o troco no bolso.

Mas na semana seguinte ele apareceu no cinema outra vez, e comprou mais um pacote de balas de canela.

"Você está melhorando", ele disse. "Dessa vez você nem me xingou."

Ela ficou sem graça.

"É que eu estou tentando ser promovida", ela disse.

Depois do filme, ele voltou para falar com ela.

"Garota da bonbonnière, me dá seu número", ele disse e, para sua própria surpresa, ela deu.

Depois daquela conversa simples sobre as balas, ao longo das semanas seguintes eles construíram uma estrutura complexa de piadas por mensagens, tiradas que se desdobravam e se alteravam tão rapidamente que às vezes ela tinha dificuldade em acompanhar. Ele era muito sagaz, e ela sentiu que precisava se esforçar para impressioná-lo. Logo percebeu que, quando ela mandava a mensagem, ele geralmente respondia de imediato, mas, se ela demorava algumas horas para responder, a próxima mensagem dele sempre vinha mais curta e sem nenhuma pergunta, então dependia dela retomar a conversa, e ela sempre retomava. Houve vezes em que ela acabou se distraindo por um dia ou dois e então pensou que a troca de mensagens fosse acabar de vez, mas depois encontrava alguma coisa engraçada para contar ou via alguma imagem na internet que tinha a ver com a conversa e eles voltavam a se falar. Ela ainda não sabia muita coisa sobre ele, porque nunca tocavam em assuntos pessoais, mas, quando conseguiam emplacar duas ou três boas piadas em sequência, aquilo trazia uma espécie de euforia, como se os dois estivessem dançando. Aí, certa noite, lendo textos para a faculdade, ela começou a reclamar que todos os refeitórios estavam fechados e que não tinha comida no quarto, porque sua colega de quarto havia roubado as coisas que seus pais tinham mandado, e ele se ofereceu para comprar balas de canela para alimentá-la. A princípio ela driblou essa oferta com outra piada, porque tinha realmente que estudar, mas ele disse: *Não, sério, deixa de bobagem e vem aqui*, então ela botou um casaco sobre o pijama e foi encontrá-lo na loja de conveniência do posto de gasolina.

Eram mais ou menos onze horas da noite. Ele a cumprimentou sem muita cerimônia, como se a visse todos os dias, e a levou para dentro para escolher as guloseimas. A loja não tinha bala de canela, então ele comprou uma raspadinha de Cherry Coke, um pacote de Doritos e um isqueiro engraçado que tinha o formato de um sapo com um cigarro na boca.

"Obrigada pelos presentes", ela disse quando saíram da loja.

Robert estava usando um chapéu de pele de coelho que cobria as orelhas e uma jaqueta impermeável grossa e antiquada. Ela pensou que até era um bom look, só um pouco desajeitado; o chapéu combinava com seu estilão lenhador e o casaco pesado escondia a barriga e aqueles ombros curvados, meio tristes.

"Às ordens, garota da bonbonnière", ele disse, embora obviamente já soubesse o nome dela àquela altura.

Ela pensou que ele fosse arriscar um beijo e se preparou para desviar e oferecer a bochecha, mas, em vez de beijá-la na boca, ele a pegou pelo braço e lhe deu um beijinho suave na testa, como se ela fosse uma coisa preciosa.

"Estuda direitinho, querida", ele disse. "Logo a gente se vê."

No caminho a pé para o dormitório, ela sentiu uma leveza resplandecente e reconheceu que era o sinal do comecinho de uma paixonite.

Quando ela foi passar as férias em casa, eles trocaram mensagens quase sem parar, não só piadas mas também pequenas novidades do dia de cada um. Começaram a dizer bom-dia e boa-noite, e, quando ela mandava uma pergunta e ele não respondia na mesma hora, Margot sentia uma fisgada de ansiedade. Ela descobriu que Robert tinha dois gatos, chamados Mu e Yan, e juntos inventaram uma história mirabolante na qual a gata que Margot tivera na infância, Pita, paquerava Yan pelo chat, mas, quando falava com Mu, era fria e formal porque tinha ciúmes da relação de Mu com Yan.

"Por que você não desgruda mais do celular?", o padrasto de Margot perguntou durante o jantar. "Está de caso com alguém?"

"Sim", Margot disse. "O nome dele é Robert, a gente se conheceu no cinema. Estamos apaixonados e provavelmente vamos nos casar."

"Hmm", o padrasto disse. "Fala pra ele que temos umas perguntinhas a fazer."

Meus pais estão perguntando de vc, Margot digitou, e Robert respondeu com um emoji de carinha sorridente cujos olhos eram dois corações.

Quando voltou para a universidade, Margot estava ansiosa para ver Robert de novo, mas, para sua surpresa, encontrá-lo se revelou uma tarefa difícil. *Desculpa, semana corrida no trabalho*, ele respondeu. *Prometo que logo vou ver vc*. Margot não gostou nada disso; parecia que o jogo tinha virado contra ela e, quando ele finalmente a convidou para ir ao cinema, ela aceitou na hora.

O filme que ele queria ver estava passando no cinema em

que ela trabalhava, mas ela sugeriu que fossem ao multiplex na saída da cidade; os universitários não iam muito lá porque só dava para ir de carro. Robert foi buscá-la num Honda Civic branco todo enlameado, com papel de bala transbordando dos guarda-copos. No caminho, ele ficou mais quieto do que ela esperava e quase não olhou para ela. Em menos de cinco minutos ela começou a se sentir extremamente desconfortável e, quando entraram na rodovia, pensou que ele poderia levá-la para qualquer lugar e estuprá-la e matá-la; ela praticamente não sabia nada sobre ele, afinal de contas.

Assim que ela pensou nisso, ele disse: "Fica tranquila, eu não vou te matar", e ela se perguntou se o desconforto que pairava no carro era culpa dela, porque era ela que estava toda agitada e nervosa, como aquelas garotas que pensam que vão acabar morrendo toda vez que saem com alguém.

"Tudo bem, você pode me matar se quiser", ela disse, e ele riu e lhe deu uma palmadinha no joelho. Mas ele continuou exageradamente quieto, ignorando toda tentativa que ela fazia de puxar algum assunto bobo. No cinema, ele fez uma piada sobre as balas de canela para a funcionária do caixa da bonbonnière, e foi um fracasso tão grande que todos os envolvidos ficaram constrangidos, mas sobretudo Margot.

Durante o filme ele não pegou na mão dela nem a abraçou. Então, quando voltaram para o estacionamento, Margot tinha quase certeza de que ele havia mudado de ideia e não gostava mais dela. Ela estava de legging e blusa de moletom, e talvez esse fosse o problema. Quando ela entrou no carro, ele havia dito: "Fico feliz em ver que você se produziu pra me ver", uma frase que ela levou na esportiva, mas talvez ele tivesse mesmo ficado ofendido porque ela não pareceu levar o encontro a sério, sabe-se lá. Ele estava de calça cáqui e camisa social.

"E aí, quer sair pra beber alguma coisa?", ele perguntou

quando entraram no carro, como se alguém o obrigasse a ser educado. Para Margot era óbvio que ele esperava que ela dissesse não e que, depois disso, eles não se falariam mais. Ao pensar nisso ela ficou triste, não tanto porque queria continuar saindo com ele, mas porque tinha criado tanta expectativa sobre ele nas férias que não era justo que as coisas caíssem aos pedaços assim tão rápido.

"Acho que ia ser legal", ela disse.

"Se você quiser", ele disse. "Se você quiser" foi uma resposta tão desagradável que ela ficou sentada no carro em silêncio até que ele cutucou sua perna e disse: "Por que você ficou chateada?".

"Não fiquei chateada", ela respondeu. "Só estou um pouco cansada."

"Eu posso te levar pra casa."

"Não, um drinque cairia bem depois daquele filme." Embora estivesse passando no circuito comercial, o filme que ele tinha escolhido era um drama bem deprimente sobre o Holocausto, algo tão inadequado para um primeiro encontro que quando ele sugeriu ela respondeu: *Sério? hahaha*, e ele fez uma piada pedindo desculpa por não ter compreendido o gosto dela e em seguida sugeriu uma comédia romântica. Mas agora, quando ela fez aquele comentário sobre o filme, ele ficou meio sem graça, e ela cogitou uma interpretação totalmente diferente dos acontecimentos da noite. Ela pensou que talvez ele estivesse tentando impressioná-la ao sugerir o filme do Holocausto porque ele não sabia que um filme sobre o Holocausto era o tipo errado de filme "sério" que se escolhe para impressionar alguém que trabalhava no cinema alternativo, o tipo de pessoa que ele provavelmente achava que ela era. Talvez, ela pensou, aquela mensagem, *sério? hahaha*, o tivesse deixado magoado, intimidado, desconfortável. Só de pensar nessa possível vulnerabilidade, ela ficou comovida e se sentiu mais aberta em relação a ele do que em qualquer outro momento da noite.

Ele perguntou onde ela queria beber, e ela falou o nome do lugar que costumava frequentar, mas ele fez uma cara estranha e disse que só o pessoal da faculdade ia lá e que ele a levaria a um lugar melhor. Eles foram a um bar que ela não conhecia, um desses lugares misteriosos, sem nenhuma placa na porta. Tinha fila para entrar e, enquanto aguardavam, ela foi ficando nervosa tentando decidir como ia contar o que precisava contar, mas não conseguiu; então, quando o segurança pediu pra ver a identidade, ela só entregou. O segurança mal olhou para o documento; só deu um sorrisinho cruel e disse "é, não" e a colocou de lado, gesticulando para o próximo grupo da fila.

Robert tinha entrado na frente, e nem percebeu o que estava acontecendo. "Robert", ela disse baixinho. Mas ele não se virou. Por fim, alguém na fila que estivera prestando atenção no lance cutucou o ombro dele e apontou para ela, abandonada na calçada.

Ela se levantou, humilhada, quando ele deu meia-volta e se aproximou. "Desculpa!", ela disse. "Estou morrendo de vergonha."

"Quantos anos você tem?", ele quis saber.

"Vinte", ela disse.

"Ah", ele disse. "Achei que você tinha dito que era mais velha."

"Eu te falei que estava no segundo ano!", ela disse. Ficar do lado de fora do bar depois de ser barrada na frente de todo mundo já era degradante por si só, e agora Robert olhava para ela como se tivesse feito algo errado.

"Mas você teve aquele... Como chama? Ano sabático", ele contestou, como se aquilo fosse uma discussão da qual pudesse sair ganhando.

"Eu não sei o que dizer", ela falou em tom de derrota. "Eu tenho vinte anos." E nesse momento, por mais absurdo que fosse, ela começou a sentir lágrimas ardendo nos olhos, porque tudo tinha sido destruído de repente e ela não entendia por que tinha que ser tão difícil.

Mas, quando Robert viu o rosto dela se contraindo, uma espécie de mágica aconteceu. Toda a tensão se dissipou, ele ajeitou a postura e a envolveu com seus braços de urso. "Ah, linda...", ele disse. "Ah, meu bem, não tem problema, já passou. Não fica mal, por favor." Ela se deixou abraçar e foi invadida pela mesma sensação que tinha experimentado na frente da loja de conveniência — a sensação de ser uma coisa preciosa e delicada que ele tinha medo de quebrar. Ele lhe deu um beijo bem no alto da cabeça, ela riu e enxugou as lágrimas.

"Não acredito que eu estou chorando porque não consegui entrar num bar", ela disse. "Você deve me achar uma idiota." Mas ela sabia que ele não achava só pelo jeito que ele olhava para ela; nos olhos dele ela conseguia ver como estava bonita, sorrindo através das lágrimas sob o brilho pálido do poste de iluminação, com alguns flocos de neve caindo do céu.

Aí ele a beijou, na boca, de verdade; se jogou em cima dela numa espécie de câmera lenta e praticamente enfiou a língua no fundo de sua garganta. Foi um beijo horrível, chocante de tão ruim; Margot custou a acreditar que um homem adulto pudesse beijar tão mal. Foi péssimo, mas ainda assim a situação de alguma forma trouxe de volta aquele sentimento de ternura por ele, a impressão de que, por mais que ele fosse mais velho, ela sabia de uma coisa que ele não conhecia. Quando parou de beijá-la, ele pegou a mão dela com firmeza e a levou para outro bar, um bar que tinha mesas de sinuca e máquinas de fliperama e serragem no chão e ninguém pedindo identidade na porta. Em uma das mesas ela viu o aluno da pós-graduação que tinha sido seu professor-assistente de inglês no primeiro ano.

"Quer que eu compre uma vodca com refrigerante pra você?", Robert perguntou, e ela pensou que talvez aquilo fosse uma piada sobre o tipo de drinque que as garotas da faculdade bebiam, embora ela nunca tivesse bebido vodca com refrigerante. Na verdade ela estava nervosa com o pedido; nos bares que frequentava só pediam a identidade no balcão, então quem já fosse maior de idade ou tivesse um bom documento falso normalmente trazia para a mesa jarras de PBR ou Budweiser para dividir com os outros. Ela não sabia se Robert ia debochar daquelas marcas, então, em vez de pedir uma cerveja específica, ela apenas disse: "Pode ser uma cerveja mesmo".

Com as bebidas à sua frente e o beijo ficando para trás, e talvez também porque ela tivesse chorado, Robert ficou muito mais relaxado, mais parecido com a pessoa divertida que ela conhecia por mensagem. Enquanto conversavam, ela foi ficando cada vez mais convencida de que tinha interpretado como raiva ou decepção o que na verdade era nervosismo e medo de que não estivesse gostando do encontro. Várias vezes ele voltou a falar do desprezo inicial que ela demonstrou pelo filme, fazendo piadas relacionadas ao assunto e observando a reação dela com atenção. Fez provocações sobre o gosto pretensioso dela e disse que era muito difícil impressionar alguém que tinha estudado cinema, como ela, embora ele soubesse que ela só tinha feito uma única aula de cinema nas férias. Ele brincou que tinha certeza de que ela e os outros funcionários do cinema alternativo ficavam debochando das pessoas que iam ao cinema tradicional, onde nem serviam vinho e tinha até filme que passava em IMAX 3D. Margot deu risada das piadas que ele fazia às custas daquela versão cinéfila esnobe imaginária de si mesma, embora nada do que ele falasse fosse exatamente justo, já que ela mesma tinha sugerido que vissem o filme no cinema tradicional. Se bem que agora ela tinha percebido que aquilo também poderia ter magoado Robert. Ela pensou que tivesse ficado claro que só não queria marcar um encontro em seu local de trabalho, mas talvez ele tivesse levado aquilo para o lado pessoal; talvez ele tivesse pensado que ela sentiria vergonha de ser vista com ele. Ela começou a pensar que o compreendia — que ele era sensível, que ele se magoava com facilidade — e por isso se sentiu mais próxima dele, e ao mesmo tempo poderosa, porque agora que sabia como magoá-lo também sabia como acalmá-lo. Ela fez um monte de perguntas sobre os filmes de que ele mais gostava, e falou de maneira autodepreciativa sobre os filmes do cinema alternativo que ela achava chatos ou difíceis; falou que os colegas de trabalho mais velhos a deixavam tão intimidada que às vezes ela tinha medo de não ser inteligente o suficiente para formar a própria opinião sobre as coisas. O efeito disso tudo sobre ele foi palpável e imediato, e ela se sentiu como se estivesse fazendo carinho num animal enorme e arisco, como um cavalo ou um urso, e o convencendo com jeitinho a comer em sua mão.

Lá pela terceira cerveja, ela começou a imaginar como seria transar com Robert. Era provável que fosse igual àquele beijo ruim, desengonçado e exagerado, mas, ao pensar que ele ficaria extremamente excitado, desesperado e louco para impressioná-la, ela sentiu uma pontada de desejo cutucando sua barriga, uma sensação tão característica e tão dolorosa quanto um elástico arrebentando na pele.

Quando terminaram aquela rodada, ela disse, corajosa: "Vamos, então?", e por um instante ele pareceu chateado, como se pensasse que ela queria ir embora, mas ela pegou a mão dele e o puxou, e a cara que ele fez quando percebeu o que ela queria dizer e o jeito obediente com que a seguiu até a saída do bar a fizeram sentir aquela dorzinha do elástico de novo, assim como aconteceu, estranhamente, quando descobriu que a mão dele estava úmida em contato com a dela.

Do lado de fora, ela se posicionou para que ele a beijasse outra vez, mas, para sua surpresa, ele só deu um selinho. "Você tá bêbada", ele disse, num tom acusatório.

"Não, não estou", ela disse, embora estivesse. Ela encostou seu corpo no dele, se sentindo minúscula, e ele deixou escapar um longo suspiro trêmulo, como se ela fosse uma coisa muito brilhante que fazia os olhos arderem, e isso também dava tesão, ser transformada numa espécie de tentação irresistível.

"Vou levar você pra casa, fraca", ele disse, conduzindo Margot até o carro. Assim que entraram no carro, no entanto, ela se inclinou por cima dele de novo e, um pouco depois, se afastando ligeiramente quando ele enfiou demais a língua, conseguiu fazê-lo beijar mais de leve, do jeito que ela gostava, e em seguida começou a se esfregar nele, e pôde sentir o pequeno volume da ereção esticando o tecido da calça. Sempre que o peso do corpo dela encostava naquilo, ele soltava uns gemidos agudos e tremelicantes que ela não conseguia deixar de achar um pouco dramáticos, e aí de repente ele a empurrou e girou a chave na ignição.

"Pegação dentro do carro é coisa de adolescente", ele disse, fingindo nojinho. Em seguida completou: "Eu achei que você tivesse passado da idade, já que você tem vinte anos".

Ela mostrou a língua. "Aonde você quer ir, então?"

"Pra sua casa?"

"Ah, não vai rolar. Por causa da minha colega de quarto, sabe?"

"Ah, é verdade. Você mora no alojamento", ele disse, como se ela precisasse se desculpar por isso.

"Onde você mora?", ela perguntou.

"Numa casa."

"Eu posso… ir lá?"

"Pode."

A casa ficava numa região bonita e arborizada não muito longe da universidade, e a porta era decorada com um cordão de luzinhas brancas e alegres. Antes de sair do carro, ele disse, de um jeito sombrio, como se fosse uma advertência: "Só pra você saber, eu tenho dois gatos".

"Eu sei", ela disse. "A gente falava deles por mensagem, lembra?"

Na frente da porta, ele se atrapalhou com as chaves pelo que pareceu um tempo absurdo, e xingou baixinho. Ela tentou massagear as costas dele para não cortar o clima, mas isso só pareceu deixá-lo ainda mais afobado, então ela parou.

"Bem... Esta é a minha casa", ele disse ao abrir a porta, sem esboçar nenhuma emoção.

A sala em que entraram tinha luz baixa e era cheia de objetos que, assim que os olhos de Margot se adaptaram, se revelaram familiares. Ele tinha duas estantes de livros grandes e cheias, uma prateleira de discos de vinil, uma coleção de jogos de tabuleiro e várias peças de arte — ou pôsteres que pelo menos tinham sido emoldurados, e não apenas colados na parede com fita crepe.

"Gostei", ela disse com sinceridade e, enquanto falava, percebeu que a emoção que estava sentindo era alívio. Ela se deu conta de que até então nunca tinha ido à casa de alguém para transar; como ela só tinha saído com caras da mesma idade, sempre precisou se esconder para fugir dos colegas de quarto. Era uma coisa nova, meio assustadora, aquilo de estar completamente no território de outra pessoa, e o fato de a casa de Robert oferecer provas de que ele tinha interesses parecidos com os dela, mesmo que fossem categorias genéricas — arte, jogos, livros, música —, acabou sendo uma confirmação positiva de que ela tinha tomado a decisão correta.

Enquanto pensava nisso, ela notou que Robert a observava

atentamente, avaliando a impressão que o ambiente tinha lhe causado. E de repente, como se o medo ainda não tivesse desistido de dominá-la, ela teve uma ideia maluca de que aquilo talvez não fosse uma sala coisa nenhuma, e sim uma armadilha para levá-la a crer que Robert era uma pessoa normal, uma pessoa como ela, mas na verdade todos os outros cômodos da casa estavam vazios ou cheios de coisas horríveis: cadáveres ou pessoas sequestradas ou correntes. Mas aí ele começou a beijá-la, jogando sua bolsa e os casacos de ambos no sofá e a escoltando até o quarto, onde começou a passar a mão em sua bunda e a tatear seus seios com a mesma avidez desengonçada do primeiro beijo.

O quarto não estava vazio, apesar de ser menos decorado do que a sala; ele não tinha uma cama tradicional, era só um box e um colchão. Havia uma garrafa de uísque em cima da cômoda, e ele bebeu um gole, depois lhe entregou a garrafa e ficou de joelhos para ligar o laptop, uma decisão que a deixou confusa, mas depois ela entendeu que ele queria pôr música.

Margot ficou sentada na cama enquanto Robert tirava a camisa e desabotoava a calça, baixando-a até os tornozelos e só então percebeu que ainda estava de sapato e agachado para desamarrar os cadarços. Ao ver Robert assim, numa posição tão estranha, com a barriga grande, mole, coberta de pelos, Margot pensou: ai, não. Mas imaginar o que seria necessário fazer para interromper o processo que ela havia iniciado era assustador; aquilo ia exigir um tato e uma gentileza que ela julgou impossível canalizar. Não era exatamente medo de que ele tentasse forçá-la a fazer algo que não queria, mas insistir em parar agora, depois de forçar a barra para continuar, a faria parecer mimada e instável, como se tivesse pedido um prato num restaurante e, assim que a comida chegasse, mudasse de ideia e pedisse para devolver.

Margot tentou transformar a resistência em submissão na

marra bebendo um gole de uísque; mas, quando ele caiu em cima dela com aqueles beijos molhados, a mão fazendo um percurso mecânico que ia dos seios até a virilha, como um sinal da cruz do mal, ela começou a respirar com dificuldade e sentiu que talvez não conseguisse mesmo continuar.

Sair de baixo de todo aquele peso e se esfregar um pouco nele ajudou, assim como fechar os olhos e tentar lembrar daquele beijo na testa na loja de conveniência. Encorajada pelo próprio progresso, ela arrancou a camiseta por cima da cabeça. Robert estendeu a mão e tirou um dos seios do sutiã, de forma que metade ficou dentro do bojo e metade pulou pra fora, e apertou o mamilo entre o dedão e o indicador. Isso foi desagradável, então ela se inclinou para a frente e se encaixou nas mãos dele. Ele entendeu a dica e tentou abrir o sutiã, mas não conseguiu manusear o fecho, e sua evidente frustração lembrou aquela dificuldade com as chaves, até que por fim ele disse, mandão, "tira esse negócio", e ela obedeceu.

O jeito que ele olhou para ela nessa hora foi uma versão exagerada da expressão que ela tinha visto no rosto de todos os caras para quem tinha tirado a roupa; não que fossem muitos — seis no total, sete contando com Robert. Ele parecia zonzo, idiota de tanto prazer, como um bebê embriagado de leite, e ela pensou que isso talvez fosse o que ela mais gostava no sexo — ver um cara assim, tão exposto. Robert demonstrou uma carência maior do que todos os outros, embora fosse mais velho e provavelmente tivesse visto mais seios e mais corpos do que os outros — mas talvez para ele isso fosse parte do estímulo, o fato de ele ser mais velho e ela ser jovem.

Enquanto se beijavam, ela se deixou levar por uma fantasia de um egocentrismo tão puro que mal conseguia admitir para si mesma. Olha que garota linda, ela o imaginou pensando. Ela é tão perfeita, o corpo dela é perfeito, tudo nela é perfeito, ela tem só vinte anos, a pele dela é impecável, eu quero tanto transar com ela, quero transar com ela mais do que jamais quis com qualquer outra pessoa, quero tanto que acho que eu vou morrer.

Quanto mais ela imaginava a excitação dele, mais tesão ela sentia, e de repente eles começaram a se mexer juntos, a entrar num ritmo, e ela colocou a mão dentro da cueca dele, pegou seu pênis e sentiu uma gotícula redonda de lubrificação na ponta. Ele fez aquele barulho de novo, aquele chorinho agudo e feminino, e ela desejou que houvesse um jeito de pedir para ele não fazer mais aquilo, mas não conseguiu pensar em nada. Então a mão dele escorregou para dentro da calcinha dela e, quando sentiu que ela estava molhada, ele ficou visivelmente mais tranquilo. Ele enfiou um pouquinho o dedo, muito delicadamente, e ela mordeu o lábio e fez um teatro para agradar, mas aí ele usou força demais e ela recuou, e então ele tirou a mão. "Desculpa!", ele disse.

E aí ele perguntou, num tom de urgência: "Espera. Você já fez isso antes?".

A noite de fato vinha sendo tão estranha, tão absurda, que a princípio seu impulso foi dizer não, mas daí ela entendeu o que ele queria dizer e soltou uma gargalhada alta.

Ela não queria rir; ela sabia muito bem que, embora gostasse de ser alvo de provocações sensuais e sutis, Robert não era alguém que aceitaria que rissem da cara dele, de jeito nenhum. Mas ela não conseguiu segurar. Perder a virgindade havia sido um processo longo, quase interminável, precedido por muitos meses de intensa discussão com seu então namorado havia dois anos, uma consulta com a ginecologista e uma conversa extremamente constrangedora mas ao mesmo tempo incrivelmente significativa com sua mãe, que, no fim, não só reservou um quarto numa pousada como também lhe enviou um cartão depois do acontecimento. Pensar que, em vez de toda essa jornada comovente e detalhada, ela poderia ter visto um filme pretensioso sobre o Holocausto, bebido três cervejas e ido a uma casa aleatória para perder a virgindade com um cara que tinha conhecido no cinema era uma coisa tão engraçada que subitamente ela não conseguia parar de rir, embora a risada tivesse um tom ligeiramente histérico.

"Desculpa", Robert disse friamente. "Eu não sabia."

Ela parou de rir na hora. "Não, foi... legal você ter perguntado", ela disse. "Só que eu já transei. Desculpa a risada."

"Não precisa pedir desculpa", ele disse, mas ela conseguia ver no rosto dele, e também no fato de ele estar em vias de perder a ereção, que precisava, sim.

"Desculpa", ela repetiu, num reflexo, e em seguida, num lampejo de inspiração: "Acho que eu só fiquei nervosa, sei lá". Ele olhou para ela e apertou os olhos, como se desconfiasse dessa afirmação, mas então pareceu mais calmo.

"Não precisa ficar nervosa", ele disse. "A gente vai devagar."

Tá, eu bem sei, ela pensou, e de repente ele estava de novo em cima dela, a beijando sem parar e a esmagando, e ela soube que tinha perdido a última chance de sentir qualquer prazer nessa situação, mas ia aguentar até o fim. Quando Robert ficou pelado, colocando a camisinha num pau meio encoberto pela massa cabeluda daquela pança, ela sentiu uma onda de repulsa que quase pareceu capaz de romper seu estado de paralisia, mas aí ele enfiou o dedo lá dentro de novo, dessa vez sem nenhuma delicadeza, e ela imaginou que estava se vendo do alto, sem roupa, arreganhada, com o dedo desse velho gordo enfiado na vagina, e a repulsa se transformou num autodesprezo e numa humilhação que era uma prima doente do desejo.

Durante o sexo, ele a colocou numa variedade de posições com uma eficiência brusca, jogando-a de um lado para o outro, e mais uma vez ela se sentiu uma boneca, como tinha acontecido na frente da loja de conveniência, só que agora não era preciosa — era uma boneca de borracha, flexível e resistente, um acessório do filme que estava passando na cabeça dele. Quando ela ficou por cima, ele lhe deu um tapa na coxa e disse: "Isso, isso, você tá gostando" com uma entonação que tornava impossível saber se aquilo era uma pergunta, uma observação ou uma ordem, e quando a virou de barriga para cima ele grunhiu: "Eu sempre quis comer uma mina peituda" em seu ouvido, e ela precisou enterrar o rosto no travesseiro para não rir outra vez. No final, quando estava por cima no papai e mamãe, ele começou a broxar, e toda vez repetia "você deixa o meu pau tão duro" num tom agressivo, como se mentir pudesse transformar a fala em realidade. Por fim, depois de uns movimentos frenéticos de coelho, ele estremeceu, gozou e despencou em cima dela como uma árvore, e, soterrada embaixo dele, ela pensou, com muita clareza: *Essa foi a pior decisão que eu tomei na minha vida!* E por um momento ficou impressionada consigo mesma, pensando no mistério dessa pessoa que tinha acabado de fazer uma coisa bizarra, inexplicável.

Não muito depois, Robert se levantou e correu para o banheiro, cambaleando com as pernas meio abertas, segurando a camisinha para ela não cair. Margot ficou deitada na cama olhando para o teto, e pela primeira vez notou que tinha adesivos colados, aqueles de estrelinhas e luazinhas que supostamente brilhavam no escuro. Robert voltou do banheiro e se tornou uma silhueta parada na porta. "O que você quer fazer agora?", ele perguntou.

"Acho que a gente devia se matar", ela se imaginou dizendo, e logo depois pensou que em algum lugar lá fora, no universo, existia um garoto que também ia achar esse momento ao mesmo tempo horroroso e hilário, como ela achava, e que um dia, lá no futuro, ela ia contar essa história a esse garoto. Ela diria: "E aí ele disse: 'você deixa o meu pau tão duro'", e o menino ia gritar de agonia e ia agarrar a perna dela, dizendo "ai, meu Deus, para, por favor, não, eu não aguento mais", e os dois iam cair nos braços um do outro rindo sem parar — mas é claro que esse futuro não existia porque esse garoto não existia e nunca ia existir.

Então ela só deu de ombros, e Robert disse: "A gente pode ver um filme", e se aproximou do computador e baixou alguma coisa; ela não prestou atenção para ver o que era. Por algum motivo ele escolheu um filme com legendas, e ela começou a fechar os olhos sem parar, sem fazer ideia do que estava acontecendo. Ele passou esse tempo todo fazendo cafuné no cabelo dela e distribuindo beijinhos pelo ombro, como se tivesse esquecido que dez minutos antes ele a tinha arremessado pela cama como se fosse um filme pornô e grunhido "eu sempre quis comer uma mina peituda" em seu ouvido.

De repente, do nada, ele começou a falar das coisas que sentia por ela. Falou que tinha sido muito difícil quando ela foi para a casa dos pais nas férias, porque não sabia se ela tinha um ex-namorado do colégio com quem poderia retomar contato. Eis que, naquelas duas semanas, todo um drama secreto tinha se desenrolado na cabeça dele, uma narrativa na qual ela tinha saído da universidade comprometida com ele, Robert, mas em casa teria voltado a ficar com o cara da escola, que na cabeça de Robert era um daqueles caras malhados e bonitos, porém meio burros, que não a mereciam, mas eram irresistíveis graças a uma posição privilegiada na hierarquia social de sua cidade natal, Saline. "Eu fiquei com tanto medo de que você, sei lá, tomasse a decisão errada e as coisas mudassem entre nós quando você voltasse", ele disse. "Mas eu devia ter confiado em você." O meu namorado da escola é gay, Margot se imaginou dizendo a ele. A gente meio que já sabia no ensino médio, mas depois de um ano pegando geral na faculdade ele com certeza se descobriu. Na verdade, hoje em dia ele nem se identifica totalmente como homem; nas férias a gente passou bastante tempo falando de como seria se ele se assumisse não binário, então sexo com ele não ia rolar mesmo, e se ficou tão preocupado você podia ter perguntado; você podia ter perguntado tanta coisa.

Mas ela não falou nada disso; só ficou deitada em silêncio, emanando uma aura pesada, odiosa, até que Robert finalmente foi parando de falar. "Você ainda tá acordada?", ele perguntou, e ela disse que sim, e ele falou: "Tá tudo bem?".

"Quantos anos você tem, mesmo?", ela perguntou.

"Trinta e quatro", ele disse. "Tem algum problema?"

Ela conseguia senti-lo vibrando de medo a seu lado, no escuro. "Não", ela disse. "Nenhum."

"Que bom", ele disse. "Era uma coisa que eu queria comentar com você, mas eu não sabia como você ia encarar." Ele virou para o outro lado e lhe deu um beijo na testa, e ela se sentiu como se fosse uma lesma que ele tinha coberto de sal, se desintegrando com o beijo.

Ela olhou para o relógio; eram quase três da manhã. "Acho que eu preciso ir pra casa", ela disse.

"Sério?", ele disse. "Achei que você fosse dormir aqui. Eu faço um ovo mexido ótimo!"

"Obrigada", ela disse, vestindo a calça legging. "Mas eu não posso. Minha colega de quarto ia ficar preocupada, sabe."

"Você tem que voltar pro alojamento", ele disse, com a voz impregnada de sarcasmo.

"Pois é", ela disse. "Já que eu moro lá, né."

Parecia que aquela carona não ia acabar nunca. A neve tinha se transformado em chuva. Eles não falaram nada. Depois de um tempo, Robert sintonizou o rádio no noticiário da madrugada. Margot lembrou que, quando os dois tinham entrado na rodovia para ir ao cinema, ela tinha pensado que Robert poderia matá-la, e então pensou: *Talvez ele me mate agora.*

Ele não a matou. Ele a deixou em casa. "Essa noite foi incrível", ele disse, desafivelando o cinto de segurança.

"Obrigada", ela disse. E cravou as mãos na bolsa. "Também achei."

"Fiquei feliz que a gente finalmente teve um encontro", ele disse.

"Um encontro", ela falou para o namorado imaginário. "Ele chamou aquilo de encontro." E os dois riram sem parar.

"Que ótimo." Ela levou a mão à alavanca da porta. "Valeu pelo filme e tudo mais."

"Peraí", ele disse, agarrando seu braço. "Vem cá." Ele a puxou de volta, a abraçou e enfiou a língua na garganta dela uma última vez. "Ai, meu Deus, quando isso vai acabar?", ela perguntou ao namorado imaginário, mas o namorado imaginário não respondeu.

"Boa noite", ela disse, e aí abriu a porta e fugiu. Quando chegou ao quarto, ela já tinha recebido uma mensagem dele: nenhuma palavra, só corações e carinhas com olhos de coração e, sabe-se lá por quê, um golfinho.

Ela dormiu doze horas seguidas, e quando acordou comeu waffles na cozinha comunitária e maratonou séries policiais da Netflix e tentou vislumbrar a possibilidade esperançosa de ele desaparecer sem que ela precisasse fazer nada, de que houvesse algum jeito de mandá-lo embora só com o pensamento. Quando a próxima mensagem dele de fato chegou, logo depois do jantar, era uma piadinha inofensiva sobre as balas de canela, mas ela deletou a mensagem na hora, tomada por uma ojeriza que pareceu muito desproporcional a qualquer coisa que ele realmente tivesse feito. Ela se convenceu de que devia a ele pelo menos uma mensagem de término, que desaparecer do nada seria errado, infantil, cruel. E, se ela tentasse mesmo sumir sem falar nada, sabe-se lá quanto tempo ia demorar até ele entender o recado? Talvez as mensagens só continuassem chegando; talvez nunca tivessem fim.

Ela começou a rascunhar a mensagem — *Obrigada pelos ótimos momentos só que eu não quero nada sério agora* —, mas começou a fazer rodeio e pedir desculpa, tentando fechar qualquer brecha que ela imaginava que ele pudesse aproveitar ("Sem problema, eu também não quero nada sério, a gente pode ir com calma!"), e a mensagem foi ficando cada vez mais comprida e cada vez mais impossível de enviar. Enquanto isso, as mensagens dele continuavam chegando, mas nenhuma dizia nada importante, e cada uma era mais ingênua que a outra. Ela o imaginou deitado naquela cama que era só um colchão, confeccionando com cuidado cada mensagem. E lembrou que ele tinha falado tanto dos dois gatos, mas ela não tinha visto gato nenhum na casa, e se perguntou se ele tinha inventado aquilo.

De vez em quando, por um ou dois dias, ela se pegou meio desanimada, distraída, sentindo falta de alguma coisa, e se deu conta que era do Robert que ela sentia falta, não do Robert de verdade, mas do Robert que ela tinha imaginado do outro lado da tela quando trocaram todas aquelas mensagens nas férias.

Oi, pelo que entendi você anda na correria, né?, Robert finalmente escreveu, três dias depois de terem trepado, e ela achou que essa era a oportunidade perfeita para mandar aquela mensagem de término escrita pela metade, mas na verdade só respondeu: *Haha sim desculpa* e *Logo mais a gente se fala*, e em seguida pensou: Por que eu fiz isso? E ela sinceramente não sabia.

"Simplesmente fala pra ele que você não está a fim!", a colega de quarto de Margot, Tamara, gritou, frustrada, depois de Margot passar mais de uma hora na cama, ruminando sobre o que deveria escrever.

"Eu não posso dizer só isso. A gente transou", Margot disse.

"Você não pode?", Tamara disse. "Sério mesmo?"

"Ele meio que é um cara legal", Margot disse, e ficou pensando até que ponto isso era verdade. Aí, de repente, Tamara deu um pulo e arrancou o celular da mão de Margot, segurando o aparelho bem longe enquanto seus dedos voavam pela tela. Tamara jogou o celular na cama e Margot o pegou na mesma hora, e lá estava o que Tamara tinha enviado: *Oi não tô a fim de vc para de me mandar mensagem.*

"Ai, meu Deus", Margot disse, ficando sem ar de repente.

"Quê?", Tamara disse, sem cerimônia. "Pra que fazer drama? É verdade."

Mas ambas sabiam que era um drama, e Margot sentiu o medo se transformar numa bola tão dura no estômago que achou que ia vomitar. Ela imaginou Robert pegando o celular, lendo aquela mensagem, se transformando em vidro e se estilhaçando em mil caquinhos.

"Fica calma. Vamos beber alguma coisa", Tamara disse, e elas foram a um bar e dividiram uma cerveja, e o celular de Margot passou o tempo todo em cima da mesa entre as duas, e, embora tentassem ignorá-lo, quando o aparelho vibrou com uma nova mensagem elas deram um grito e agarraram o braço uma da outra.

"Eu não consigo, lê você", Margot disse. Ela empurrou o celular na direção da amiga. "Foi você que aprontou isso. A culpa é sua." Mas a mensagem só dizia o seguinte: *Tá certo, Margot, que chato saber disso. Espero que eu não tenha feito nada que tenha te magoado. Você é uma garota incrível e eu adorei ficar com você. Me avisa se você mudar de ideia.*

Margot se estatelou na mesa, apoiando a cabeça nas mãos. Ela sentia como se uma sanguessuga, gorda e inchada de tanto beber seu sangue, tivesse enfim largado sua pele, deixando para trás um hematoma roxo e doído. Mas por que ela sentia uma coisa dessas? Talvez estivesse sendo injusta com Robert, que na verdade não tinha feito nada de errado, a não ser gostar dela e transar mal, e talvez mentir que tinha dois gatos, se bem que eles só deviam estar em outro lugar da casa. Mas aí, um mês depois, ela o viu no bar — o bar que era dela, aquele que só tinha o pessoal da faculdade e que ela tinha sugerido que eles fossem na noite do encontro. Ele estava sozinho em uma mesa do fundo, e não estava lendo nem mexendo no celular; só estava sentado lá, quieto, corcunda em cima da cerveja.

Ela agarrou o amigo que estava com ela, um cara chamado Albert. "Ai, meu Deus, é ele", ela cochichou. "O cara do cinema!" A essa altura, Albert já tinha ouvido uma versão da história, embora não exatamente a verdadeira; quase todos os amigos dela já tinham ouvido. Albert ficou na frente dela para protegê-la do olhar de Robert enquanto voltavam correndo para a mesa onde seus amigos estavam. Quando Margot anunciou que Robert estava no bar, todos ficaram perplexos, e depois a cercaram e acompanharam até a saída como se ela fosse o presidente e eles fossem o Serviço Secreto. Foi tudo um exagero tão grande que ela chegou a se perguntar se não estava agindo como uma garota malvada, mas, ao mesmo tempo, ela de fato tinha ficado enjoada e assustada. Aninhada na cama com Tamara naquela mesma noite, com o brilho do celular iluminando seu rosto como uma fogueira, Margot lia as mensagens que iam chegando: *Oi Margot, hoje eu te vi lá no bar. Eu sei que você me pediu pra não mandar mensagem mas só queria dizer que vc estava linda. Espero que esteja tudo bem!*

Eu sei que eu não devia falar isso mas tenho saudade de você

Sei lá, não sei se tenho o direito de perguntar mas eu só queria que vc me falasse o que eu fiz de erado

**errado*

Eu senti que a gente teve uma conexão verdadeira, não sei se você não sentiu...

Talvez eu seja muito velho pra vc ou você pode estar com outra pessoa

Aquele cara que estava hoje com vc no bar era seu namorado ???

Ou é só um cara que tá te comendo

Desculpa

Aquela hora q vc deu risaad quando eu perguntei se você era virgem foi porque vc já trepou com um monte de gente

Vc tá trepando com aquele cara agora né

Né

Né

Né

Me fala

Sua puta.

O cara legal

Quando chegou aos trinta e cinco anos, o único jeito de Ted conseguir ficar de pau duro e continuar assim durante toda a relação sexual era imaginando que seu pênis era uma faca e que a mulher que ele estava comendo esfaqueava a si mesma.

Não que ele fosse algum tipo de serial killer. O sangue não lhe inspirava nenhuma fantasia erótica, fosse em pensamento ou na realidade. Além do mais, o elemento-chave desse enredo era o fato de a mulher *decidir* esfaquear a si mesma: a ideia de que ela o desejava de uma forma tão intensa, que tinha ficado tão louca com um desejo físico obsessivo por aquele pau que se sentia compelida a empalar a si mesma, apesar do suplício que causaria. Era ela quem assumia o papel ativo; ele só ficava lá deitado enquanto ela se debatia em cima dele, e fazia o melhor que podia para interpretar os gemidos e expressões faciais da mulher como sinais de seu processo de destruição naquela batalha agonizante entre a dor e o prazer.

Ele sabia que não era lá muito boa, essa fantasia. Sim, a cena que ele imaginava era ostensivamente consensual, mas não dava para ignorar os temas violentos inerentes. Também não ajudava o fato de sua dependência da fantasia aumentar à medida que a qualidade de seus relacionamentos diminuía. Lá pelos vinte e poucos anos, os términos de Ted costumavam ser mais ou menos indolores. Nenhum de seus casos havia durado mais do que alguns meses, e as mulheres com quem ele saía pareciam acreditar quando ele dizia que não estava a fim de nada sério — ou pelo menos pareciam acreditar que isso deixava subentendido que elas não poderiam acusá-lo de má conduta quando aquilo de fato se confirmasse. Quando ele chegou aos trinta, no entanto, essa estratégia parou de funcionar. Cada vez mais ele tinha o que pensava ser uma conversa de rompimento com uma mulher, para pouco tempo depois, no entanto, receber uma mensagem da mesma mulher dizendo que sentia saudades dele, que ainda não entendia o que tinha acontecido, que queria conversar.

Assim, em uma noite de novembro, duas semanas antes de seu aniversário de trinta e seis anos, Ted se viu sentado numa mesa de frente para uma mulher em prantos chamada Angela. Angela era corretora de imóveis, era bonita e elegante, tinha brincos que pareciam lustres brilhantes nas orelhas e mechas feitas em salão chique. Como todas as mulheres com quem vinha se relacionando nos últimos muitos anos, Angela era, sob qualquer critério objetivo, muito superior a ele. Era cinco centímetros mais alta; tinha casa própria; preparava um fettuccine com molho de mariscos incrível; e sabia fazer uma massagem nas costas com óleos essenciais que ela jurava que ia mudar a vida dele, e mudou mesmo. Ele tinha terminado com ela havia mais de dois meses, mas as mensagens e ligações que vieram na sequência foram se tornando tão insistentes que ele concordou em marcar mais um encontro cara a cara na esperança de voltar a ter um pouco de paz.

Angela tinha começado a noite tagarelando de forma enérgica sobre seus planos de viagem, seus dramas no trabalho e suas aventuras com "as meninas", ostentando uma felicidade tão obviamente calculada para que ele visse o que estava perdendo que ele começou a se contorcer de vergonha alheia, e depois, quando chegaram à marca de vinte minutos, ela caiu no choro.

"Eu *não consigo entender*", Angela choramingou.

O que veio depois foi um diálogo absurdo e irremediável no qual ela insistia que ele tinha sentimentos por ela mas os estava escondendo, enquanto ele insistia, da forma mais gentil possível, que não tinha. Entre um soluço e outro, ela foi organizando as provas do afeto dele: a vez em que ele levou o café da manhã na cama para ela, a vez em que disse "acho que você ia adorar minha irmã", a doçura com que tinha cuidado do cachorro dela, Marshmallow, quando o Marshmallow ficou doente. O problema, aparentemente, era que, embora ele tivesse deixado claro desde o início que não queria nada sério, ao mesmo tempo, para deixar tudo mais confuso, ele também tinha sido legal. Só que o que ele deveria ter feito, ao que tudo indicava, era dizer que ela podia fazer sozinha a porra do café da manhã, informá-la que era improvável que um dia ela conhecesse a irmã dele, e ser um babaca com o Marshmallow quando o Marshmallow começasse a vomitar, para que tanto Marshmallow quanto Angela soubessem onde estavam pisando.

"Desculpa", ele repetiu de novo, e de novo, e de novo. Não que fizesse diferença. Quando ele falhasse em admitir que estava secretamente apaixonado por ela, Angela ia ficar brava. Ia acusá-lo de ser um moleque imaturo e narcisista que tinha as emoções atrofiadas. Ia dizer "você me magoou demais" e "pra falar a verdade, eu tenho pena de você". Ia declarar "eu estava me *apaixonando* por você", e ele só ia ficar ali sentado, constrangido, como se essa afirmação evidenciasse sua culpa, mesmo que fosse óbvio que Angela não estava apaixonada — ela achava que ele era um moleque que tinha as emoções atrofiadas, ela nem gostava dele tanto assim. Mas, claro, era difícil continuar totalmente presunçoso diante de tudo isso sendo que ele só tinha conseguido prever que essa cena se aproximava justamente porque essa não era a primeira conversa desse tipo que ele tinha com uma mulher. Não era nem a terceira. Nem a quinta. Nem a décima.

Angela continuou aos prantos, a própria imagem de um desespero perfeito e abjeto: os olhos vermelhos, o peito arfante, o rosto borrado de rímel. Enquanto a observava, Ted percebeu que não ia mais dar conta. Não podia pedir desculpas mais uma vez, não podia continuar com esse ritual de auto-humilhação. Ia dizer a verdade.

Assim que Angela parou para respirar, Ted disse: "Você sabe que nada disso é culpa minha".

Houve uma pausa.

"O *que você disse*?", Angela falou.

"Eu sempre fui honesto com você", Ted disse. "Sempre. Eu te disse o que queria dessa relação desde o início. Você podia ter confiado em mim, mas decidiu que conhecia meus sentimentos melhor do que eu. Quando eu disse que queria um lance casual, você mentiu e disse que queria a mesma coisa, e na mesma hora começou a fazer de tudo pra transformar em outra coisa. Como não conseguiu transformar o que a gente tinha num relacionamento sério — que era o que você queria, não eu —, você se magoou. Eu entendo. Mas não fui eu quem te magoou. Você fez tudo isso, não eu. Eu sou só — só — a ferramenta que você usou pra se machucar!"

Angela deixou escapar uma tosse, como se tivesse levado um soco. "Vai se foder, Ted", ela disse. Arrastou a cadeira para trás, prestes a sair correndo do restaurante, e, enquanto saía, pegou uma taça de água gelada e jogou nele — não só a água, mas a taça toda, inteirinha. A taça — era mais um copo, na verdade — quebrou bem no meio da testa de Ted e caiu em seu colo.

Ted abaixou a cabeça e olhou para o copo quebrado. Tá. Ele podia ter previsto essa parte. Quem ele pensava que enganava? Não era possível que todas essas mulheres em prantos estivessem erradas, mesmo que suas acusações parecessem tão injustas. Ele levantou o braço e passou a mão na testa. Os dedos voltaram vermelhos. Ele estava sangrando. Ótimo. Fora isso, sua virilha tinha ficado muito, mas muito gelada. Na verdade, quando a água gelada encharcou sua calça, o pênis começou a doer ainda mais do que a cabeça. Devia existir uma lei que limitasse a temperatura da água gelada dos restaurantes, assim como limitavam a temperatura do café do McDonald's. Talvez seu pênis congelasse e murchasse e caísse, e aí todas as mulheres com quem ele tinha saído iam se juntar para fazer uma festa em homenagem à Angela, a heroína destemida que conseguiu acabar com seu reinado de terror sobre as solteiras de Nova York.

Nossa, ele estava sangrando mais do que tinha imaginado. Na verdade, tinha tanto sangue escorrendo de sua testa que a água empoçada na virilha já estava ficando cor-de-rosa. As pessoas tinham começado a correr em sua direção, mas os sons chegavam meio embaralhados e ele não conseguia entender o que diziam. Devia ser alguma coisa na linha de: bem feito, seu babaca. Ele lembrou do que tinha dito logo antes de Angela arremessar o copo na cara dele — *eu sou só a ferramenta que você usou pra se machucar* — e se perguntou se aquilo tinha alguma coisa a ver com a fantasia do pau-faca, mas agora estava sangrando e congelando e era provável que tivesse sofrido uma concussão, e nesse momento ele não tinha condições de tentar entender.

Ele nem sempre tinha sido daquele jeito.

Na adolescência, Ted era aquele tipo de menino franzino e estudioso que as professoras chamavam de "meigo". E ele era meigo mesmo, pelo menos quando havia mulheres por perto.

Ele tinha passado a infância e o começo da adolescência flutuando por uma série de paixões platônicas por mulheres mais velhas e inatingíveis: uma prima, uma babá, a melhor amiga da irmã mais velha. Essas paixonites sempre eram desencadeadas por uma pequena demonstração de atenção — um elogio mínimo, uma risada genuína diante de uma piada dele, o fato de uma vez terem lembrado seu nome — e não continham nenhum traço de agressividade evidente ou sublimada. Muito pelo contrário: em retrospecto, eram paixões extremamente ingênuas. Num sonho recorrente que ele tinha com a prima, por exemplo, ele via a si mesmo como seu marido, revirando a cozinha enquanto fazia o café da manhã. De avental, ele cantarolava baixinho e espremia laranjas numa jarra, batia a massa de panqueca, fritava os ovos e colocava uma única margarida num vasinho branco. Ele levava a bandeja para o quarto e sentava ao lado da cama, onde a prima roncava enrolada numa colcha feita à mão. "Bom dia, alegria!", ele dizia. Os olhos da prima pestanejavam e se abriam. Ela lhe lançava um sorriso sonolento e, quando levantava, a colcha caía e revelava seus seios sem sutiã.

Era isso! Essa era a fantasia inteira. E ainda assim ele a nutriu por tanto tempo, com tamanha devoção (Será que é melhor se as panquecas tiverem gotas de chocolate? De que cor a colcha pode ser? Onde ele deve colocar a bandeja pra que não caia da cama?) que aquilo contagiou a casa de seus tios com uma aura sexual que continuou sendo palpável mesmo quando ele já era adulto, embora a prima tivesse havia muito tempo virado lésbica e ido morar na Holanda, e eles não se vissem fazia anos.

Nunca, nem em seus devaneios mais ousados, o jovem Ted tinha se permitido acreditar que suas paixões pudessem ser correspondidas. Ele não era burro. Podia ser o que fosse, mas burro nunca foi. Tudo o que ele sempre quis foi que seu amor pudesse ser tolerado, talvez até valorizado: ansiava pela permissão de ficar rodeando suas paixões com devoção, esbarrando nelas de leve de vez em quando, como uma abelha às vezes se esfrega na flor.

No entanto, o que acontecia era que, tão logo Ted arranjava uma nova paixão, ele passava a orbitar em torno dela, olhando-a fixamente e sorrindo feito um idiota, inventando motivos para encostar em seu cabelo, em sua mão. E então, inevitavelmente, a menina se afastava — porque, por algum motivo inexplicável, os afetos de Ted provocavam em seus alvos uma reação de asco intenso e visceral.

Não eram cruéis com ele, essas paqueras. Ted se sentia atraído por um tipo de menina sonhadora para quem a crueldade explícita era uma heresia. Ainda assim, talvez percebendo que aquelas pequenas demonstrações de atenção lá do começo tinham sido a porta de entrada pela qual Ted se enfiara sem ser convidado, as meninas decidiam se trancar a sete chaves. Instituindo uma espécie de protocolo de emergência feminino universal, elas se recusavam a fazer contato visual, falavam com ele só quando necessário e se posicionavam no extremo oposto da sala. Elas se barricavam em fortalezas de frieza educada, e ali ficavam debruçadas, esperando o tempo que fosse necessário até ele ir embora.

Nossa, era horrível. Décadas depois, lembrar dessas paixões fazia Ted querer morrer de vergonha. Porque a pior parte era que, mesmo depois que ficava óbvio que as meninas que ele venerava achavam sua atenção insuportável, ele ainda desejava desesperadamente ficar perto delas, agradá-las. Ele se debatia nas garras desse dilema e tentava demonstrar autocontrole na forma de uma autopunição violenta (ficava pelado na frente do espelho, se forçando a olhar para as pernas magricelas, peitoral côncavo, pênis pequeno: *Ela te odeia, Ted, aceita, todas as garotas te odeiam, você é feio, você é horrível, você é nojento*) e depois perdia o controle e se pegava acordado às três da manhã, chorando de frustração e digitando *estados em que a lei permite o casamento entre primos* no navegador de internet, numa interminável brincadeira de esconde-esconde com suas esperanças.

No verão antes do início do ensino médio, depois de um episódio especialmente humilhante com uma monitora de acampamento, Ted saiu para andar sozinho e pensou no futuro. Fato: ele era baixinho e feio e tinha cabelo oleoso e nunca nenhuma menina ia gostar dele. Fato: saber que um moleque nojento como o Ted gostava delas já era o suficiente para as meninas se afastarem. Conclusão: se ele não quisesse passar o resto da vida fazendo mal para as mulheres, ele precisava dar um jeito de manter suas paixões em segredo.

E foi isso que ele fez.

No primeiro ano do ensino médio, Ted criou uma nova persona: alegremente assexuada, absurdamente inofensiva, livre de qualquer traço de carência. O novo Ted era um comediante de sessenta anos em um corpo de um garoto de catorze: engraçadíssimo, autodepreciativo e um pouco neurótico demais para um dia de fato fazer sexo. Quando pressionado, o novo Ted afirmava gostar da Cynthia Krazewski, uma *cheerleader* tão inatingível que daria na mesma se ele dissesse que era apaixonado por Jesus Cristo.

Graças a esse disfarce, Ted estava livre para fazer amizade com as garotas de que realmente gostava e canalizar toda sua energia para ser legal com elas sem nunca demonstrar que queria algo além daquilo. A verdade era que ele não queria, não exatamente. Ele não acreditava que o amor pudesse lhe trazer qualquer coisa a não ser sofrimento. Era muito mais fácil e mais agradável ser amigo das garotas: conversar com elas, ouvir as histórias delas, levá-las de carro aos lugares, contar piadas para que elas gargalhassem, e depois voltar para casa e entrar em transe de tanto bater punheta, relegando seus desejos ao reino da imaginação, onde não podiam fazer mal.

* * *

Quando Ted passou para o segundo ano, toda a sua energia romântica tinha se amalgamado em direção a um único alvo: Anna Travis, que não só o tolerava, mas o considerava seu amigo. Essa era a magia de sua nova persona: desde que Ted mantivesse seus sentimentos bem escondidos, as meninas — algumas, pelo menos — até que gostavam bastante dele.

Embora fosse bem mais popular do que ele, em termos de vida amorosa Anna era tão incompetente quanto Ted. Por três semanas durante o nono ano, Anna tinha namorado Marco, que era jogador de futebol e deu um fora nela quando foi promovido do time de novatos para a liga júnior, e ela nunca superou. Anos depois, Anna ainda sentia um desejo insaciável de falar sobre o Marco com qualquer pessoa disposta a ouvir e, como todo mundo já estava de saco cheio desse assunto (e talvez também um pouco assustados com a loucura que viam nos olhos dela quando ela falava disso), seu único parceiro para essas conversas era Ted.

Era óbvio que Ted não *queria* exatamente ajudar Anna a passar horas analisando o que significava quando Marco tinha dito "saudades, menina" e lhe dado um tapinha no ombro ao se cruzarem no corredor na semana anterior... mas, ao mesmo tempo, ele até que queria. Porque dizer para Anna que o Marco era um burro por ter dado um fora nela e que ela era infinitamente superior à namorada-da-semana do Marco era o mais próximo que ele jamais chegaria de confessar seus sentimentos. Fora que observar Anna desejando Marco garantia material para as fantasias de Ted em que Anna o desejava.

Fantasia: é tarde da noite, o telefone de Ted toca. É Anna.

"Anna", ele diz. "O que foi? Está tudo bem?"

"Estou aqui fora", ela diz. "Você pode descer?"

Ted coloca o roupão e abre a porta. Anna está lá parada

com uma cara péssima: cabelo bagunçado, blusa amarrotada. "Anna?", Ted diz.

Anna se joga em cima de Ted e começa a chorar. Ele a envolve nos braços e lhe dá um tapinha nas costas enquanto ela estremece com o peito encostado no dele. "Tá tudo bem, Anna", ele diz. "Seja lá o que for, está tudo bem, eu prometo. Shhhh, shhhh."

"Não!", ela grita. "Você não entende. Eu...", e aí ela tenta beijá-lo. Ela roça os lábios nos dele, desejosa, mas ele se afasta. Ela fica chocada, arrasada. "Por favor", ela diz. "Por favor, só..." Ele fica ali parado, imóvel, e deixa que ela enfie a língua em sua boca, e depois de um momento de hesitação também a beija, com vontade, mas em seguida se afasta mais uma vez.

"Desculpa, Anna", ele diz. "Não entendi. Pensei que éramos só amigos."

Ela diz: "Eu sei. Quer dizer... Eu tentei manter as coisas como estavam. Mas não consigo mais esconder. Sempre foi você, esse tempo todo. Eu sei que você não sente o mesmo por mim. Eu sei que você ama a Cynthia. Mas eu só... se você pudesse ao menos me dar uma chance. Por favor. Por favor".

E aí ela volta a beijá-lo, e o empurra em direção ao quarto, e ele tenta resistir, dizendo coisas como "é que eu não quero estragar nossa amizade", mas ela insiste tanto, ela não para de implorar, ela começa a desabotoar a calça dele, e sobe em cima dele, e coloca a mão dele em seu seio. Quando os dois ficam pelados, Anna olha para ele de um jeito que é ao mesmo tempo devotado e ansioso, e diz: "Me fala o que você está pensando", e ele respira fundo e diz: "Nada", e olha para o horizonte, e ela diz: "Você está pensando na Cynthia, não está?", e ele diz: "Não", mas ambos sabem que ele está. Anna diz: "Eu prometo, Ted, que se você me der só uma chance, eu vou te fazer esquecer da Cynthia", e aí ela coloca a cabeça no meio das pernas dele.

De vez em quando, Ted ficava pensando se havia alguma chance de Anna gostar dele não só como amigo. Ela não gostava dele do jeito que ele gostava dela, isso era óbvio, e ela nunca ia aparecer em sua porta soluçando de frustração apaixonada, mas... quem saaaaaaabe? Às vezes ela sentava ao lado dele no sofá, e estava sempre tentando convencê-lo a chamar outras meninas para sair, o que em si não parecia um bom sinal, mas quando fazia isso ela dizia coisas como "você é bem mais gatinho do que você pensa, Ted" e "qualquer menina ia tirar a sorte grande se saísse com um menino igual a você". Então mesmo que ela não gostasse *realmente* dele, talvez houvesse um potencial latente que ele poderia ativar simplesmente dizendo o que sentia. Mas também tinha uma espécie de Princípio da Incerteza de Heisenberg, pelo qual qualquer tentativa séria de determinar o estado daquele relacionamento invariavelmente o alteraria — e, como mudanças davam medo e ele tinha 99% de certeza de que Anna não gostava dele desse jeito e nunca ia gostar, ele deixou as coisas como estavam: o bom e velho Ted amigão e extremamente falso.

Anna estava um ano na frente dele na escola, já aprovada pela Universidade de Tulane, e, na última semana antes de se mudar para New Orleans, ela convenceu os pais a organizarem uma grande festa de despedida para ela. A festa era uma performance com uma plateia prevista de um só membro, Marco; um complexo cenário elaborado para exibir Anna no auge de seu brilho — e ela, deslumbrante, de fato brilhou. Estava com um vestido curto de renda com um decote profundo e salto alto, e um monte de maquiagem nos olhos, e prendeu seu cabelo castanho-claro no alto da cabeça. Ela se cercou de um grupinho de outras meninas lindas, e todas choravam e riam e gritavam e posavam para fotos e se expressavam de forma tão luminosa que o resto do mundo ficava meio apagado.

Ted ficou vagando pelos cantos da festa, sentindo ódio de si mesmo. Ele e Anna geralmente se encontravam sozinhos, sem mais ninguém, quando ela estava deprimida por causa do Marco e não tinha forças para sair. Nessas situações, eles ficavam sentados no sofá, comiam pizza e conversavam. Ela geralmente usava calça de moletom. Ted quase nunca tinha visto Anna daquele jeito, transmitindo toda a potência de seu carisma. Ele tinha uma consciência dolorosa de seu papel natural na festa — o puxa-saco — e não queria desempenhá-lo. Talvez ele tivesse se iludido pensando que conseguira disfarçar seus sentimentos esse tempo todo, talvez na verdade ele tivesse passado todo esse tempo andando por aí com o pau pendurado para fora da calça, acidentalmente exposto. Talvez todas as pessoas da festa estivessem pensando: ai, olha ali o Ted, ele é apaixonado pela Anna, que vergonha, que fofo. Talvez Anna também soubesse.

É claro que Anna sabia.

O orgulho ferido de Ted se inflou por dentro, rasgando os tecidos macios. Pela primeira vez, ele ficou com raiva de Anna, de como ela tinha deixado que uma distribuição aleatória de recursos físicos — altura, simetria facial, habilidade para jogar futebol — determinasse o futuro dos dois. Ele era mais inteligente que o Marco, e mais legal que o Marco, e tinha mais em comum com Anna do que o Marco, e conseguia fazer Anna rir mais do que o Marco jamais conseguiria — mas nada disso importava, porque quem ele era não importava, nem para ela nem para mais ninguém.

A noite se arrastou e, quando a festa foi chegando ao fim, os convidados que sobraram resolveram sair andando até a praia. Ted poderia ter ido para casa, mas decidiu ficar e sofrer. Alguém acendeu uma fogueira, e Ted ficou sentado literalmente nas sombras, vendo o brilho das chamas refletido no rosto de Anna. Ele sentiu que alguma coisa bem lá no fundo tinha se quebrado. Não tinha pedido nada; tinha tentado se contentar com o mínimo possível. E, ainda assim, lá estava ele, se sentindo humilhado e diminuído mais uma vez.

Anna estava assando um marshmallow, girando o espeto por cima das chamas, pensativa. Estava com um agasalho masculino por cima do vestido curto, as pernas nuas cobertas de areia. Começou a ventar forte, e uma corrente de fumaça a atingiu. Ela tossiu, se levantou, deu a volta na fogueira e de repente se jogou do lado de Ted.

"Está ficando difícil respirar ali", ela disse.

"Você se divertiu na sua festa?", Ted disse.

"Até que foi legal", disse Anna. Ela suspirou, provavelmente porque Marco tinha ido embora havia muito tempo. Ele só tinha ficado uma hora. Olhando para Anna, para sua cara amuada que era um reflexo da sua, Ted se sentiu mal por ter ficado tão bravo com ela poucos minutos antes. Ele amava Anna e não era correspondido; Anna amava Marco e não era correspondida; Marco provavelmente amava alguma figura aleatória que ninguém conhecia e não era correspondido. O mundo não tinha pena. Ninguém mandava nos sentimentos de ninguém.

Ele disse: "Você está linda. O Marco é um puta de um babaca".

"Obrigada", Anna disse. Parecia que ela talvez estivesse prestes a dizer mais alguma coisa, mas só apoiou a cabeça no ombro dele e ele a envolveu com o braço. Ela fechou os olhos e se encostou nele, e, quando ele tinha quase certeza de que ela havia adormecido, ele se permitiu beijar sua testa. A pele dela tinha gosto de sal e fumaça. *Acho que eu me enganei*, Ted pensou. *Acho que consigo me contentar com isso.*

Infelizmente, ele não conseguiu.

Ted tinha esperança de que, quando Anna fosse para a faculdade, seus sentimentos por ela o perturbariam menos, mas não foi assim que aconteceu. Era verdade que, com a presença física de Anna tão reduzida em sua vida, Ted conseguia ver com mais clareza o espaço absurdo que ela ocupava em seus pensamentos. De manhã, esperando o despertador tocar, ele se imaginava abraçando Anna e cheirando seu pescoço; a primeira coisa que fazia ao acordar era abrir o e-mail para ver se ela havia enviado uma mensagem no meio da noite; passava o dia inteiro filtrando suas experiências em busca de trechos interessantes que ele pudesse transformar em histórias e escrever para ela. Sempre que ele ficava entediado ou ansioso, seu cérebro se distraía remoendo a possibilidade de um dia conseguir fazer com que Anna correspondesse a seu sentimento, como um cachorro roendo os últimos pedaços de carne de um osso. E à noite, por horas a fio, seu quarto era transformado no set de um filme pornô imaginário estrelando os dois, de vez em quando com um colega de sala ou ator de cinema como figurante convidado. Considerando a escassez do contato que Ted tinha com a Anna de verdade, era como se agora ele vivesse um relacionamento com uma amiga imaginária.

Ted preferiria não viver assim, mas não sabia ao certo o que fazer. Ele achava que a solução seria desenvolver uma paixão por outra pessoa, alguém que talvez pudesse retribuir o que sentia. Por incrível que parecesse, essa possibilidade não era mais tão remota quanto no ano anterior — embora Ted ainda fosse baixinho e meio nerd, o aparelho nos dentes tinha saído de cena e ele tinha melhorado o corte de cabelo, e havia uma menina no ensino médio chamada Rachel, para quem ele dava aula particular de biologia, que estava a fim dele de um jeito tão óbvio que nem ele próprio conseguia ignorar.

Ted não sentia nem um pingo de atração por Rachel, que era magrela e rude e tinha o cabelo ressecado, mas ele estava com dezessete anos e nunca havia sequer segurado a mão de uma menina, então quem era ele para querer exigir qualquer coisa? Talvez, se ele e Rachel ficassem, ele começasse a sentir alguma coisa por ela. Coisas bem mais estranhas que isso já tinham acontecido. Além do mais, ele havia de convir que sair com a Rachel *jamais* estragaria suas chances com a Anna — afinal, quantas histórias ele já não tinha ouvido sobre meninas que só percebiam que o amor de suas vidas estava bem debaixo de seu nariz quando aquela pessoa se apaixonava por outra?

Então um dia, depois da aula particular, Ted, resmungando, perguntou para Rachel o que ela ia fazer no fim de semana e se ela queria dar uma volta. Assim que as palavras saíram de seus lábios, ele se arrependeu de dizê-las, mas era tarde demais. Rachel tomou a frente da situação imediatamente, dando seu número de telefone e pedindo o dele. Ela informou o horário exato em que esperaria a ligação, e quando ele, obediente, telefonou, ela lhe comunicou o filme que queria ver no fim de semana, o horário de exibição e o lugar onde os dois jantariam antes, e em seguida explicou o caminho até sua casa para que ele pudesse passar para buscá-la.

Quando eles saíram do cinema, ela já estava fazendo planos para os próximos encontros, dizendo que queria muito conhecer o novo restaurante tailandês da cidade e que eles não podiam esquecer de assistir àquela comédia romântica do trailer que passou antes do filme, e será que o Ted ia fazer alguma coisa no Halloween, porque ela e os amigos estavam planejando uma fantasia coletiva e ele podia participar.

Ted ficou absurdamente desconfortável. Ele não sabia com quem Rachel tinha saído, mas com certeza não tinha sido com ele. Ele não tinha contribuído com o passeio de forma nenhuma; ao que tudo indicava, ela poderia ter levado um boneco inflável ao cinema e se divertido do mesmo jeito. Enquanto a levava para casa, ele decidiu avisar, de forma educada, que não haveria um segundo encontro. Rachel ia odiá-lo por dar um fora nela, era óbvio, e isso implicaria desistir das aulas particulares, mas ele concluiu que esse seria o preço a pagar para evitar o clima ruim que com certeza se instalaria. Eles não tinham nenhuma outra atividade em comum, então, se ele fizesse tudo do jeito certo, talvez nunca mais precisasse vê-la.

Quando chegaram à casa de Rachel, ele aproximou o carro da calçada, mas deixou o motor ligado.

Rachel desafivelou o cinto de segurança. "Boa noite", ela disse, mas não se moveu.

"Boa noite", ele disse, se aproximando para um abraço. Quais eram exatamente as responsabilidades dele? Será que ele precisava terminar com ela de um jeito explícito, considerando que só tinham saído uma vez? Ou podia só parar com as aulas particulares e ela ia entender o recado? Ele começou a dar uns tapinhas nas costas dela, torcendo para conseguir transmitir o seguinte: *Por favor, não me odeie, desculpa pelo que eu vou fazer agora*, mas nessa hora ela colocou as duas mãos nas bochechas dele, segurou seu rosto bem firme e o beijou na boca.

O primeiro beijo do Ted! Por um instante o susto afastou qualquer outro pensamento. Ele ficou paralisado, de queixo caído, e Rachel enfiou a língua em sua boca e ficou mexendo lá dentro. Quando seu cérebro enfim alcançou o corpo e ele lembrou que era importante retribuir o beijo, ela parou e começou a cobrir seus lábios com beijinhos delicados. "Assim, ó", ela disse de um jeito ofegante, e ele percebeu que ela tinha assumido a tarefa de *ensiná-lo* a beijar, porque ele obviamente não sabia. O peso da vergonha caiu lá de cima e o esmagou no chão. A Rachel desengonçada e metida à besta ia fazer a boa ação de ensiná-lo a beijar!

Bom, já que não dava mais tempo de não se humilhar, ele até que podia aproveitar a oportunidade para aprender alguma coisa. Poucos minutos depois, ele concluiu que beijar não era tão difícil assim, na verdade, embora certamente também não fosse tudo aquilo que o pessoal dizia. No geral, não era uma sensação desagradável, mas também não era exatamente uma coisa erótica. Os óculos da Rachel ficavam trombando no nariz dele toda hora, e era estranho ver a cara dela tão de perto. Ela ficava parecendo outra pessoa, mais pálida, mais... indefinida, sei lá, como uma pintura. Ele tentou fechar os olhos, mas ficou agoniado, como se alguém fosse aparecer atrás dele e esfaqueá-lo pelas costas.

Então beijar era isso. Ele não podia negar que a Rachel parecia estar curtindo. Ela meio que ficava girando e soltando uns suspiros. Será que ele ia gostar mais se estivesse beijando Anna? Sinceramente, era difícil imaginar que um dia ele pudesse ficar excitado com aquela atividade. Duas tripas de carne sem osso se revirando, tipo duas lesmas acasalando na caverna da boca. *Que nojo*, Ted. O que tinha de errado com ele? O hálito de Rachel cheirava à manteiga da pipoca: era levemente metálico, tinha uma nota da gordura queimada que ficava presa no fundo da máquina. Ou será que esse era o hálito dele? Ele não sabia se era possível descobrir.

Agora Rachel estava basicamente em cima dele e começado a mexer a mão de um jeito investigativo, como se talvez quisesse descobrir se ele tinha ficado de pau duro. Não era surpresa pra ninguém que não tinha pau duro nenhum; na verdade ele sentiu que o pênis talvez tivesse voltado para dentro do corpo e se escondido. Será que a Rachel ia ficar chateada porque ele não estava de pau duro? Será que ele deveria tentar fantasiar com a Anna para ficar de pau duro e a Rachel não ficar chateada por ele não ficar de pau duro por ela? Não, essa não podia ser a atitude correta. Mas o que a Rachel *queria*? Agora é que ela estava mesmo se esfregando nele, roçando o quadril no joelho dele e gemendo. Ela queria transar? Com certeza não. Eles tinham estacionado na frente da casa dos pais dela e ela estava só no segundo ano e, além do mais, ele era o *Ted*. Uma coisa era aceitar que Rachel talvez tivesse desenvolvido uma paixonite por ele nas aulas de biologia, outra era pensar que ele a tinha deixado tão doida por um pau que ela estava prestes a trepar com ele no banco do carro.

Só que ela parecia estar a fim, e de um jeito absurdo. Era perturbador quase num nível existencial que duas pessoas tão próximas fisicamente pudessem vivenciar o mesmo momento de formas tão distintas.

A não ser que... ela estivesse fingindo toda aquela empolgação. Ou, se não fingindo por completo, exagerando. Bastante. Mas por que ela faria isso? Por que ela fingiria estar excitada com aquelas acrobacias desajeitadas da língua dele se não estivesse de verdade?

Ah, tá.

Assim que aquela possibilidade passou por sua cabeça, ele percebeu que a resposta era óbvia. Ela sabia que ele estava nervoso e estava tentando persuadi-lo. Sua dificuldade e seu desconforto deviam ser visíveis da estratosfera. Ela estava fingindo prazer para que ele conseguisse relaxar e parasse de beijar tão mal. Estava fingindo excitação sexual por *pena*.

Se antes ele já sentia o pau rastejando pra dentro do corpo, agora ele sentiu que uma chapa de chumbo tinha caído dos céus direto na virilha e o deixado paralisado pelo resto da vida.

Você tem que se matar, Ted, uma voz dentro de sua cabeça disse. Sério mesmo.

Talvez ele até tentasse — era só pular do carro e se jogar na frente do próximo veículo em movimento que aparecesse —, mas aí a Rachel pegou a mão dele e colocou no seu seio. Ele levou aquele susto da cabeça vazia de novo. Os seios da Rachel eram pequenos, mas a blusinha era decotada, então ele pegou num monte de pele bem macia. Ele resolveu tentar apertar um pouco, depois esfregou a mão no lugar em que imaginava que o mamilo dela estaria. Caralho, o mamilo estava lá *mesmo* e, depois que ele esfregou por um tempinho de nada, o mamilo enrijeceu sob seu dedão.

Caramba.

Fechando os olhos como se saltasse de um trampolim, ele enfiou a mão debaixo da blusa e do sutiã dela, e aí não precisou mais se preocupar com o fato de não ficar de pau duro, porque o mamilo que ele agora estava beliscando era a coisa mais gostosa e mais errada do mundo, e, sabe-se lá como, ficava ainda mais gostosa e mais errada porque pertencia a uma pessoa que ele mal conhecia, cujo hálito tinha cheiro de pipoca e cujo fingimento escancarado de tesão era uma ofensa a ambos.

Ele beliscou o mamilo de novo, um pouco mais forte. Ela soltou um gritinho, mas se recuperou bem rápido. "Ai, meu *Deus*, Ted", ela gemeu de um jeito falso.

Eles namoraram pelos quatro meses seguintes.

Lembrando daquela época, Ted pensou que Rachel havia sido a primeira mulher que ele supostamente tinha tratado mal. Sim, ele tinha assustado algumas das paqueras sem querer, mas era só uma criança e tinha feito de tudo para se controlar. E talvez fosse importante falar do comportamento dele com a Anna quando estudavam juntos — que deveria ter sido sincero sobre o que sentia em vez de ficar se protegendo atrás da amizade —, mas, embora tivesse sido covarde com Anna, ele também tinha se esforçado ao máximo para ser legal. Já com a Rachel... Se existisse inferno e ele acabasse indo pra lá, era muito provável que o diabo pegasse uma foto da Rachel e chacoalhasse na cara dele, dizendo: "E aí, amigo, qual era o lance com essa aqui?".

Mas ele não sabia! Ele sinceramente não sabia.

Nos quatro meses que passaram juntos, ele nunca começou a gostar de Rachel mais do que tinha gostado naquele primeiro encontro. Tudo nela o deixava irritado: o cabelo ridículo, a voz anasalada, a mania de ficar dando ordens a ele. Pensar nas pessoas falando "olha lá a Rachel, namorada do Ted!" o fazia se encolher de vergonha. Ele via nela todas as coisas que tanto tentava reprimir em si mesmo: o esforço que ela fazia para puxar o saco das pessoas que a tratavam como lixo, sua falsa generosidade diante da meia dúzia de pessoas que estavam abaixo dela na escala da popularidade, as piadinhas sarcásticas que usava para tentar se distanciar de todos os outros coitados da mesma turma.

Como ele, ela tinha uma tendência aos acidentes corporais constrangedores — manchas de menstruação, mau hálito, posições que sem querer deixavam a calcinha à mostra —, mas, ao contrário do que acontecia com ele, esses episódios não pareciam lhe causar uma vergonha excessiva. Era *ele* quem ficava envergonhado: quando a avistou à sua frente no corredor, saltitando com um pedaço da saia jeans tingido de vermelho, ou quando Jennifer Roberts abanou a mão no ar com nojo depois que Rachel, que tinha chegado perto demais, finalmente virou as costas. Nesses momentos, não era como se Ted não gostasse da Rachel: ele a *odiava* mais do que jamais odiou alguém em sua vida.

Mas então por que ele não terminou com ela?

Em casa, sozinho, Ted sabia que não gostava da Rachel e que não queria namorar com ela, então terminar parecia natural, a coisa certa a fazer. Mas aí eles se encontravam e, assim que Rachel o via, se ele hesitasse, ou se afastasse, ou demonstrasse mesmo que com a menor das expressões que algo não ia bem, na mesma hora a cara dela se fechava. Ao menor sinal de raiva dela, ele sentia uma avalanche de culpa e de puro medo. Era arrastado por uma onda de convicção de que ele era um lixo total, um babaca cuzão, e seus pecados se espalhavam como uma corrente ininterrupta que o devolvia àquela decisão inicial de aceitar ter saído com ela num único encontro enquanto ainda estava apaixonado pela Anna. Açoitado pela culpa, ele decidia que, em vez de confrontar Rachel diretamente e aumentar a lista de decepções imensuráveis que já havia causado a ela, seria *muito melhor* esperar um momento mais oportuno, como um momento em que ela resolvesse ela mesma propor o término. Afinal de contas ele nem era tão bom partido assim; se ele só deixasse rolar, mais cedo ou mais tarde ela com certeza ia se libertar daquele delírio no qual ele era um pretendente minimamente adequado e lhe daria um pé na bunda por conta própria. Com tudo isso em mente, ele concordava com qualquer coisa que ela sugerisse com um alívio profundo — e, de repente, dez minutos depois, ou quinze, ou uma hora, ele caía em si e pensava: peraí, eu ia terminar com ela, por que estamos sentados aqui no Olive Garden almoçando?

Com Rachel tagarelando, sem mais nenhum sinal daquela nuvem negra do ódio em formação, parecia absurdo pensar que poucos segundos antes ele tinha achado impossível terminar aquele relacionamento — mas também parecia absurdo terminar com ela do nada, uma vez que ele vinha se comportando como se tudo estivesse ótimo e dizendo coisas como "claro, eu vou com você visitar sua prima no domingo". Porque, se ele tentasse terminar com a Rachel agora, enquanto ela mordia uma torrada, com certeza a primeira coisa que ela ia dizer seria "se você sabia que ia terminar comigo, por que você acabou de dizer que ia visitar minha prima comigo no domingo?", e ele teria que responder.

Tá, mas e daí, Ted? Tá. Mas. E. Daí. Ele não podia simplesmente dar de ombros e dizer "poxa, que chato pra sua prima, eu mudei de ideia"? Não. Não podia, porque só um babaca seria capaz de uma coisa dessas, e ele, o Ted, não era babaca. Ele... era um cara legal.

Sim, tudo bem, todo mundo sabe que caras legais são os piores, mas isso era outra coisa. Ser incapaz de interromper a Rachel no meio de uma refeição e dar um fora nela sem aviso prévio — isso não era uma pessoa com a Síndrome do Cara Legal, era só alguém sendo humano. Ele nunca sentia mais empatia pela Rachel do que naqueles momentos, quando imaginava como seria estar almoçando, na inocência, com alguém que mostrava para todo mundo que gostava de você, que não tinha dado nenhum sinal de que alguma coisa não ia bem e, de repente, do nada, *pá*, eis que você estava completamente enganada sobre ele e que tudo que ele te disse era mentira.

A vida inteira, Ted tinha se agarrado à ideia de que ele era um incompreendido — que as meninas que o tinham rejeitado estavam erradas em tratá-lo como se houvesse nele algo inerentemente assustador. Ele podia não ser o cara mais lindo do mundo, mas também não era *tão mau*. Mesmo assim, às vezes, ele ficava acordado à noite imaginando uma situação em que a Rachel contava a história deles para um tribunal formado por todas as meninas que o rejeitaram na vida, revelando todos os seus truques nos mínimos detalhes, contando que ele tinha fingido que gostava dela quando não gostava, falando daquela máscara de "cara legal" que ele usava pra esconder que na verdade era um merda egoísta e mentiroso — e ele via aquelas meninas todas, com Anna bem no meio, chocadas mas nem tanto, sacudindo a cabeça e concordando que sim, claro, elas sempre souberam que tinha alguma coisa errada com ele.

E aí Anna assumiu outro papel no pensamento dele: o de líder de um júri pronto para condená-lo. Quanto mais durava seu relacionamento com Rachel, mais ele precisava que ela voltasse a esse tribunal imaginário contando uma história que o redimisse. Ele precisava que sua primeira namorada oficial não apenas dissesse, mas acreditasse, que, apesar de não terem se acertado como casal, ele não era assustador nem perigoso nem ruim; lá no fundo ele era um cara legal.

Para suavizar essa versão fantasiosa de Anna, ele continuou com a Rachel, e continuou mentindo. Terminou o almoço no Olive Garden, foi visitar a tal da prima, tentou preparar o terreno para a fuga. Ele se empenhou em manter Rachel a uma certa distância, não o suficiente para que ela ficasse brava, só o suficiente para impedir que o relacionamento ficasse mais sério do que já estava. Ele quase não telefonava e estava sempre ocupado, mas sempre pedia desculpas. Ele fazia exatamente o que era esperado dele, mas nem um dedo a mais. Ele se sentia meio que se fingindo de morto, tentando se manter passivo e dócil na esperança de que cedo ou tarde ela perdesse o interesse e seguisse a vida. Tudo bem, o tribunal diria no final. Ele não é a *melhor* pessoa. Ele não é um santo. Mas também não é nenhum Marco, que manipula as garotas só para infernizar. Podia ter sido pior. Ele merece mais uma chance. Declaramos o réu... até que correto.

Mas peraí, uma voz alta surge do nada, logo antes de a juíza bater o martelo.

Sim?

Só uma coisa. Quero fazer uma pergunta.

Pode fazer.

Mas e o sexo?

Ahm... O que tem o sexo? Ted e Rachel não fizeram sexo. Ele quis deixar essa parte bem clara para o tribunal. Ted *não* tirou a virgindade da Rachel. (E Rachel não tirou a virgindade do Ted.)

Eles ficavam?

Ficavam, claro. Eles namoraram por quatro meses.

Quando *de fato* ficavam, o Ted "fazia exatamente o que era esperado, mas nem um dedo a mais"? Ele se "fingia de morto", por assim dizer, com a Rachel? Será que ele se comportava como a pessoa educada, reservada e levemente distante que era com ela nos outros momentos?

Ahm, bom, não.

Como ele se comportava?

...

Como você se comportava, Ted?

Eu era...

Você era...?

Eu era... meio que...

Sim?

... malvado.

Malvado?

Malvado.

Antes de Ted ficar mais velho e experiente, antes de dominar uma série de palavras-chave de fetiche no Pornhub e de começar a pagar a assinatura anual do Kink.com, "malvado" era a palavra que ele usava em pensamento para descrever as coisas que ele fazia com (contra?) a Rachel e aquela dinâmica meio desconfortável, forçada. A palavra tinha vindo antes dela. Ele a usava quando era criança para falar de alguns quadrinhos e desenhos e filmes e livros em que as pessoas eram "malvadas" com as meninas. A Mulher Maravilha tinha sido acorrentada aos trilhos do trem. Na capa de um dos livros da Nancy Drew de sua irmã, Nancy aparecia amordaçada e amarrada a uma cadeira.

O jovem Ted gostava de histórias em que pessoas eram "malvadas" com as meninas, mas isso não significava que ele queria *fazer* maldades com elas. Quando se imaginava nessas histórias, algo que ele fazia muito raramente — já que costumava ficar satisfeito só observando o que acontecia —, ele, Ted, nunca era a pessoa que amarrava as meninas. Não, ele era o cara que as *salvava*. Ele desamarrava as cordas e esfregava o pulso delas para reativar a circulação, gentilmente tirava a mordaça e fazia carinho em seus cabelos, e elas choravam encostadas em seu peito. Ser o vilão, aquele que amarra, que inflige dor? Não, não, não, não, não. Não tinha nenhuma maldade na vida amorosa do Ted, e nem em sua vida de fantasia. Até a Rachel aparecer.

Sempre que possível, Ted evitava ficar com Rachel. Ele quase nunca encostava nela de forma carinhosa e não abria a boca quando se beijavam. Mesmo percebendo que aquilo a incomodava, ele sentia que era uma boa pessoa quando agia dessa maneira: já que não gostava dela, não tinha nenhum direito de pressioná-la a fazer coisas sexuais. Afinal de contas, se ele tentasse fazer tudo aquilo e lá na frente terminasse com ela, ela teria todo o direito de voltar ao tribunal e acusá-lo de usá-la só pelo sexo. Portanto, seguindo essa lógica, a única forma de ele se eximir da culpa era exigir que Rachel o cutucasse e enchesse e pressionasse a ficar sozinho com ela, que pedisse duas ou três ou cinco vezes para que, no final, ninguém pudesse insinuar que tinha sido culpa dele.

Uma vez que estivessem no quarto dela, com a porta fechada, ela começava a beijá-lo daquele jeito que nunca deixou de parecer falso: os beijinhos delicados, os suspiros melodramáticos. *Credo, Rachel,* ele pensava, enquanto a irritação que tinha evitado o dia todo voltava. *Como você consegue ser tão mandona, tão insistente, tão sem noção? Como você pode gostar de mim? Como você não percebe que eu não curto você?* Mas ela continuava se jogando pra cima dele... e, de vez em quando, sucumbindo à tentação, ele manifestava a irritação com um beliscão ou uma mordida e até, depois de um tempo, um tapinha de leve.

Ela dizia que curtia quando ele era "malvado", e ele achava que podia ser verdade, ainda mais quando via que ela ficava toda molhada e vermelha e se chacoalhando. Só que ele ainda sentia lá no fundo que havia um verniz de falsidade em tudo o que ela fazia, e que, ao afirmar que gostava de como ele a tratava, ela estava dizendo o que achava que ele queria ouvir. Por isso mesmo, parte do que significava ser "malvado" com a Rachel era uma tentativa de descascar aquela falsidade, de ir mais fundo, de forçá-la a mostrar uma reação sincera: ele queria alcançar aquela parte verdadeira da Rachel, mas ela sempre escorregava e fugia, como uma enguia mergulhando debaixo d'água, e persegui-la o fazia subir pelas paredes de tanto tesão. *Eu te odeio, eu te odeio*, ele pensava, prendendo os pulsos finos da Rachel bem no alto e mordendo a carne de seu ombro e se esfregando nela até gozar.

"Nossa, foi *incrível*", ela suspirava logo em seguida, se aninhando em seus braços, mas ele não conseguia, não podia acreditar nela.

Às vezes ele se perguntava se, mais do que da pegação em si, ela gostava do que vinha depois, porque naqueles breves momentos ele se comportava de um jeito diferente. Ele precisava tanto que ela o aliviasse da culpa pelo que tinha acabado de fazer que ficava vulnerável, exposto. Ele a beijava e ia buscar água e depois ficava deitado ao seu lado e mergulhava o rosto em seu cabelo. Naqueles momentos, ele conseguia olhar na cara de Rachel e enxergá-la nem feia nem bonita, nem boa nem má, nem amável nem odiosa, mas apenas uma pessoa deitada a seu lado, despida de todo aquele julgamento que ele sempre impunha sobre ela, aquela análise crítica obsessiva de tudo que ela fazia. E se ele *conseguisse* gostar da Rachel? Se ele gostasse dela, não seria uma pessoa ruim por namorar com ela. Ele não teria nada do que se redimir. Eles poderiam ser felizes. Ele estaria livre. Essa ideia fez Ted se sentir incrivelmente leve, como se uma esponja dentro dele, carregada de veneno, finalmente fosse torcida e secasse.

Aquilo nunca durava. Quando o êxtase pós-coito começava a desvanecer, Anna se manifestava ao lado dele feito um fantasma. *Pensa em mim, pensa em mim*, ela cochichava em seu ouvido, e ele pensava. O cérebro dele pegava no tranco de novo, pensando, girando, julgando. Ele tinha feito merda ao ficar com a Rachel de novo, deixando que a Rachel o visse desse jeito, exposto. Agora ela teria ainda mais certeza de que ele gostava dela; agora ela ficaria ainda mais magoada quando ele lhe desse um pé na bunda; agora ele tinha ainda mais pecados a expiar; agora seria ainda mais difícil cair fora.

Ele se ajeitava na cama, colocava a cueca.

"O que foi?"

"Nada. Só preciso ir pra casa."

"Por que você não fica aqui deitado comigo um pouquinho?"

"Tenho lição de casa."

"Hoje é *sexta*."

"Já te falei, tenho muita coisa pra fazer."

"Por que você sempre fica desse jeito?"

"Que jeito?"

"*Desse* jeito. Todo mal-humorado. Logo depois."

"Não estou mal-humorado."

"Está, sim. Sr. Mal-Humorado. Esquentadinho."

"Eu tenho prova de cálculo, um trabalho de história que ainda nem comecei, falei pra uma amiga que ia ajudá-la a estudar para o exame, e preciso entregar a última versão da candidatura para a universidade ao orientador na segunda-feira. Desculpa se eu pareço estressado, mas você não ajuda em nada me enchendo o saco e me chamando de esquentadinho, ainda mais porque já perdi tipo uma hora aqui."

"Só fica deitado comigo um minuto. Deixa eu te fazer uma massagem."

"Rachel, eu não quero massagem. Eu quero ir fazer as minhas coisas. Por isso que eu disse que a gente devia parar com isso."

"Ah, vai, esquentadinho. Minha mãe só vai chegar daqui a uma hora. Olha, deixa eu..."

"Ei, para com isso!"

"Tá, vai dizer que você não gosta? Porque parece que você *adoooora*. Só acho."

"Eu falei pra parar!"

"Me faz parar, lindo."

"Caralho, Rachel..."

"Ai, *Ted*!"

E lá no alto, como um coro divino, as garotas do tribunal voltavam a tagarelar: *Olha isso, olha esses dois feiosos fazendo essa coisa ridícula, ai, meu Deus, ele é tão nojento, você viu aquilo ali, ele fez aquilo mesmo? Eu acho que ele só... é, ele fez, ele fez, ai, não, acho que eu vou vomitar, nossa, que nojo, essa é a coisa mais asquerosa que eu já vi, não sei quem dá mais nojo, ela ou ele, como ela consegue, como ela suporta, eu nunca, nunca, nunca deixaria que ele fizesse uma coisa dessas comigo...*

Enquanto a Anna Imaginária continuava sendo sua companhia constante, sempre compartilhando opiniões detalhadas sobre a evolução do relacionamento e da condição da alma de Ted, a Anna Verdadeira continuava alheia a tudo isso em Tulane, recebendo de vez em quando e-mails amistosos de seu grande amigo Ted — nenhum dos quais fazia menção à existência de uma Rachel Verdadeira, curiosamente.

A maneira como Ted se mostrava para Anna passava por uma curadoria tão cuidadosa quanto a de um museu, e ele lutava em vão para tentar decidir como incorporar Rachel à exposição. O problema era que, embora uma estudante abstrata até pudesse representar uma rival sensual para Anna, o que elevaria o status de Ted a seus olhos, a Rachel *de verdade* só podia representar um risco. Se Anna estendesse o assunto com perguntas que ele não conseguisse driblar, Ted temia que a descoberta de seu envolvimento romântico com Rachel Derwin-Finkel pudesse manchá-lo para sempre com o cheiro de fracasso que ela destilava.

Rachel, por outro lado, sabia *tu-do* sobre Anna. Tudo e mais um pouco. Às vezes Ted desconfiava que Rachel era vidente, mas num nível bem baixinho, e seus poderes psíquicos se limitavam a meia dúzia de situações bobas e inúteis. O mínimo traço de desconforto que surgisse no rosto dele provocava na mesma hora um "Ted? Ted? O que foi? Em que você tá pensando? Ted?". Como ele geralmente estava pensando no quanto Rachel era irritante e/ou sonhando acordado com Anna, nessas ocasiões ele não tinha escolha a não ser mentir; no dia a dia ele mentia para Rachel mais do que tinha mentido para qualquer pessoa na vida inteira. E ainda assim, de tempos em tempos, ela começava a interrogá-lo de um jeito que o deixava trêmulo e incapaz de omitir parte da verdade.

Por exemplo, ele uma vez — *uma vez* — mencionou a Anna para a Rachel, mas daria na mesma se tivesse tatuado PERGUNTE-ME O QUE SINTO PELA ANNA TRAVIS.

"A Gilda Radner era tipo uma gênia subestimada", ele disse aquela noite na locadora de vídeo, enquanto vasculhavam uma prateleira na qual figurava DVD *O melhor de Saturday Night Live*. "Minha amiga Anna adora ela."

"Sua amiga Anna?", Rachel repetiu.

Ted congelou. "É." Ele sentiu como se atravessasse um lago

no inverno e o gelo começasse a rachar ao seu redor. Não faça nenhum movimento brusco, ele disse a si mesmo. Você ainda pode chegar vivo ao outro lado.

"Acho que eu não conheço a Anna", Rachel disse com uma voz casual estudada.

"Acho que não", ele disse. "Ela se formou no ano passado."

"De onde você conhece ela?"

"Não lembro. Acho que tivemos aula juntos uma vez."

Houve um momento de silêncio. Lado a lado, eles ficaram olhando os filmes sob as lâmpadas fluorescentes. Rachel pegou o DVD de *O Panaca*, com Steve Martin, e analisou a contracapa. Já tinha acabado? Ele tinha conseguido escapar?

"Essa Anna é a Anna Zhang?", Rachel perguntou.

O gelo se abriu e ele caiu na água.

"Não."

"Anna Hogan?"

"Não." Merda, ela conhecia a Anna Hogan! Por que ele não disse simplesmente que era a Anna Hogan? VOCÊ É BURRO PRA CARALHO, TED, o cérebro dele gritou consigo mesmo.

"Então qual Anna é?"

Ted sentiu a própria garganta começando a se fechar. "Anna Travis", ele arriscou.

"Anna Travis!", Rachel ainda estava supostamente lendo a contracapa do DVD, mas levantou a sobrancelha de um jeito planejado para exibir um ceticismo dramático diante da ideia de que Ted pudesse fazer parte do nobre círculo social de Anna Travis. "Eu não sabia que você conhecia a Anna Travis."

"Pois é."

"Ahm."

Uma pausa.

"E por que você nunca falou dela?"

"Não sei. Só nunca aconteceu."

Nesse momento Ted pensou que, se Rachel perdesse as estribeiras e desse um ultimato em relação a Anna, ele teria que terminar com ela, porque era óbvio que se ele tivesse que escolher entre Rachel e Anna ele escolheria Anna, e, como nunca tinha acontecido nada entre Anna e ele, Rachel seria a pessoa irracional da história, e o término acabaria nem sendo culpa dele.

Mas Rachel era mais sagaz que isso. Ela devolveu *O Panaca* à prateleira e eles ficaram andando pela locadora em silêncio.

"Ela é bonita", Rachel disse um pouco depois.

"Quem?"

O rosto de Rachel se transformou brevemente numa careta de escárnio. "*Quem*? A Gilda Radner. Não, a Anna Travis, seu besta. Ela é linda."

"É, pode ser", ele disse.

"Pode ser?"

"É só amizade, Rachel", Ted disse com uma paciência exagerada.

"Tipo... é óbvio", Rachel disse. "Anna *Travis*."

Rachel, Ted pensou, você é uma vadia desgraçada e eu espero que você morra queimada.

"Você foi na festa de despedida dela? Nas férias de verão?", Rachel perguntou.

"Fui. Por quê?"

"Nada, não." Rachel apanhou outro filme da prateleira e leu atentamente a descrição na contracapa. Sem levantar a cabeça, ela disse: "É que me falaram que nessa festa ela deu para o Marco Hernandez no quarto dos pais dela quando a mãe foi buscar o bolo no andar de baixo."

Imagem: Ted está preso numa maca e Rachel está em cima dele, examinando uma seleção de facas e decidindo qual delas vai enfiar em suas partes mais sensíveis.

"Nada a ver", Ted debochou. "Quem te disse isso? A Shelly?" A Shelly era a melhor amiga de Rachel, uma menina frívola e insuportável. Ted pensou que talvez pudesse arranjar uma briga por causa da Shelly que serviria de distração. Ou talvez ele devesse só derrubar no chão a estante de DVDs mais próxima e sair correndo dali.

Rachel não mordeu a isca. "Não foi a Shelly, na verdade. Mas todo mundo sabe que a Anna Travis é louca pelo Marco. Tipo louca de verdade, mesmo." Pela primeira vez, Rachel olhou diretamente para ele, com os olhos vazios por trás dos óculos. "*Eu* ouvi falar que ela vive escrevendo um monte de mensagens para ele e fica ligando no alojamento dele, e a coisa ficou tão feia que ele precisou *bloquear* o telefone e o e-mail dela."

Ted ficou enjoado. Por quanto tempo ela teria guardado aquela informação para si, e como soube que devia usá-la?

"Meu Deus, Rachel", Ted disse. "Sério, me dá vergonha de verdade ver você fazendo isso, tipo, fazendo fofoca com gente que você nem conhece. Você trata as pessoas que você acha descoladas como se elas fossem celebridades, sei lá. A Anna é só uma pessoa normal que você nem conhece. Acho que você e a Shelly deviam parar de se preocupar com a vida amorosa dela feito duas tontas."

"Bom...", Rachel disse, apertando os lábios. "Na verdade eu conheço a Anna, sim."

"Não conhece."

"Conheço", ela disse de um jeito friamente vitorioso. "A gente estudou junto na pré-escola e as nossas mães são amigas. Foi a mãe dela que contou pra minha mãe esse negócio do Marco ter bloqueado o número dela. Ela disse que a Anna ficou tão mal com tudo isso que talvez tenha que trancar a faculdade por um semestre. Acho que *a sua amiga Anna* só não te contou."

O estômago de Ted se contraiu em torno da faca que Rachel havia acabado de enfiar em sua barriga.

Rachel colocou sua mão fria sobre a mão molenga de Ted.

"Acho que não estou mais a fim de ver filme", ela disse. "Meus pais só vão voltar pra casa à meia-noite e meu irmão vai dormir na casa de um amigo. Vamos."

Alguns dias depois, Ted sentou na frente do computador, à noite, e tentou redigir um e-mail para Anna. Ele tinha escrito e deletado vinte variações da pergunta *tem certeza que está tudo em ordem?*, mas nada soava bem. Ele já tinha enviado dois e-mails que ela nunca respondera, e sabia que a melhor coisa era ficar na dele. O problema era que ele não só queria descobrir se a história de Rachel era verdade; ele *precisava descobrir* — e aquela urgência era como se insetos rastejassem por debaixo de sua pele.

Levado pela ansiedade a níveis de bravura sem precedentes, Ted se viu pegando o telefone. Ele sabia o novo número de Anna de cor, apesar de ter ligado uma só vez — no aniversário dela, quando ele cantou "Parabéns para você" do começo ao fim para a secretária eletrônica. Ela nunca tinha ligado de volta, mas uma hora ele acabou recebendo um e-mail (com o assunto: *MUITO obrigada!!*) que ela assinara com um monte de S e 2, o que naquele momento pareceu significativo.

Anna atendeu ao primeiro toque.

"Alô, Anna, aqui é o Ted", ele disse, como se estivesse falando com a secretária eletrônica.

"Ted!", ela disse. "E aí?"

"Ahm... Eu estava pensando em você", ele disse. "Está tudo bem com você?"

"Acho que sim", ela disse. "Por quê?"

Porque a minha namorada, cuja existência escondi de você, me contou um segredo que você escondeu de mim porque ela estava com ciúmes da paixonite que eu tenho por você, que aliás também estou escondendo de você, mas não consegui esconder dela.

"Ahm, não sei direito. Vai parecer estranho, mas eu tive... uma impressão... de que as coisas não estavam bem."

Usar informações sigilosas para simular um vínculo psíquico misterioso era uma nova dimensão de mentiras que se abria para Ted, e ele não compreendeu por inteiro a potência do que tinha acabado de fazer até que Anna começou a chorar.

"Não tô bem", ela disse. "Não tô *nem um pouco* bem." Soluçando, ela começou a desembuchar uma história confusa que não envolvia só o Marco, mas também um cara da universidade que tinha sido babaca com ela, uma briga horrível com a nova mulher do pai, uma guerra interminável com a colega de quarto, e o fato — que ela mencionou quase que de passagem — de que ela havia sido reprovada e ia precisar refazer a maior parte das disciplinas no ano seguinte.

"Eu lamento", Ted disse, atordoado. "Lamento muito. Parece que é uma fase bem difícil."

"Não acredito que você me ligou", Anna disse. "Faz um tempão que ninguém me liga mais. Parece que esqueceram de mim. Você acha que as pessoas são tão próximas, mas quando precisa delas elas simplesmente se *esquecem*."

"Eu não esqueci de você", Ted disse.

"Eu *sei*", Anna falou. "Eu sei que você não esqueceu. Você sempre esteve por perto quando eu precisei, sempre, mas eu nunca dei valor, eu fiz pouco de você. Eu era tão egoísta. Odeio a pessoa que eu era no ensino médio, meu Deus, queria poder mudar tudo, mas agora... agora é tarde demais pra *fazer* qualquer coisa, esse é o problema. Ficou tudo tão cagado e eu nem sei mais quem eu sou, sabe? Tipo, quem é essa pessoa que fez todas essas escolhas com as quais eu agora preciso conviver? Eu penso em tudo e odeio aquela pessoa, odeio tanto por tudo o que ela fez comigo, é tipo a minha nêmesis, minha pior inimiga, mas o problema é que aquela pessoa sou *eu*."

Enquanto Anna abria o coração pelo telefone, o coração do Ted se iluminou como uma erupção solar. A única coisa que ele queria era mostrar a Anna como ele a via: como ela era linda e perfeita aos olhos dele. Ele precisava dizer que ia carregar para sempre dentro de si aquela memória — aquele *conhecimento* — de quem ela era e, não importava o que acontecesse e o quanto ela se botasse para baixo, isso ele sempre poderia oferecer a ela: ele poderia amá-la, de um jeito altruísta e incessante, com total comprometimento e pureza, pelo resto de sua vida.

Uma hora depois, Anna fungou. "Obrigada por me escutar, Ted", ela disse. "Significa muito para mim."

Eu morreria por você, Ted pensou.

"Tranquilo", Ted disse.

Depois disso, Ted e Anna começaram a se falar por telefone quase toda noite. Nunca em sua vida Ted tinha experimentado nada que se comparasse à emoção daquelas conversas de fim de noite, e ele se pegou construindo um conjunto elaborado de rituais em torno das ligações, do mesmo jeito que uma tribo primitiva talvez precise criar rituais para acender uma fogueira para assim conter o poder do fogo.

Parte do ritual consistia em manter as conversas em segredo — para que Rachel, é claro, não soubesse, mas também seus pais e todas as outras pessoas. Ele tirava o telefone do escritório de perto do computador e o levava para a cama. Ligava o ventilador do lado de fora do quarto para criar uma barreira de ruído branco. Tomava banho, escovava os dentes e entrava debaixo das cobertas. Antes mesmo que Anna atendesse o telefone, a pele dele ficava quente, quase febril.

"Oi."

"Oi."

Eles falavam com a voz baixa e rouca; sussurravam um para o outro, Ted pensou, como se estivessem deitados lado a lado na cama, cochichando sobre o travesseiro. Ele fechou os olhos e imaginou essa cena.

"Como foi o seu dia?", ele perguntou.

"Ah. O mesmo de sempre."

"Mesmo assim. Me conta. Eu quero ouvir."

Enquanto Anna começava a contar a história daquele dia ("Bom, então, eu acordei às quatro da manhã porque a desgraçada da Charise tinha treino..."), Ted passava a mão lentamente pelo próprio peito e circulava a costela, imaginando que era a mão da Anna, e sua pele ficava toda arrepiada sob os dedos da Anna.

Enquanto ela falava, ele não dizia quase nada, só alguns "ahams" e "ainãos" gentis. Uma vez, quando ela pareceu estar especialmente chateada, ele disse "que chato..." e em seguida pronunciou sem som "... querida".

Enquanto isso, a mão dele continuou fazendo círculos vagarosos e sensuais ao longo do tronco, passando pelo elástico da cueca boxer, entrando por baixo do elástico e fazendo um carinho hesitante nas pontas dos pelos púbicos.

"Me conta mais da Kathleen", ele disse, quando pareceu que Anna ia ficar sem assunto. Kathleen era a madrasta de Anna. Ele começou a brincar com o pênis — dando batidinhas com a ponta dos dedos, mexendo na glande. "Você acha que o seu pai vai defender ela, ou ficar do seu lado?"

"Meu Deus, você tá *zoando*?", Anna praticamente gritou.

"Shhhh, shhhh", Ted pediu silêncio. "A Charise tem treino daqui a quatro horas."

"Foda-se a Charise", Anna sussurrou. Ted riu. Anna também riu. Ele quase conseguia sentir o hálito dela no rosto. Ele apertou o pau, arqueando as costas de prazer, e fechou bem a boca para se obrigar a fazer silêncio.

"Tá ficando com sono?", ele enfim perguntou.

"Tô", Anna disse.

"Quer adormecer junto comigo?"

"Quero... Mas você precisa acordar tão cedo..."

"Não tem problema", ele disse. "Eu durmo no escritório."

"Você é um amor, Ted. Eu adoro adormecer com você."

"Eu também adoro adormecer com você. Boa noite, Anna."

"Boa noite, Ted."

"Dorme bem, Ana."

"Dorme bem, Ted."

Na quietude que se seguiu, ele imaginou Anna o observando com uma mistura de fascínio e nojo; imaginou que ela o acariciava; imaginou que do outro lado da linha, na noite úmida de New Orleans, Anna, enlouquecida de desejo, se masturbava e pensava nele. Ele a ouviu inspirando e expirando, e sua mão alcançou um ritmo estável debaixo das cobertas. Ele sentiu vergonha de si mesmo, claro, mas o calor daquela vergonha se transformou em uma poça na virilha, amplificando o prazer. Ele gozou sem parar, sem emitir nenhum som a não ser aqueles que poderiam ser disfarçados como suspiros sonolentos. Só quando tinha se acalmado completamente, já com o pulso e a respiração totalmente normalizados, ele ousou sussurrar: "Anna, você dormiu?".

Ele imaginou Anna acordada na cama, de olhos bem abertos, olhando para o teto com o coração cheio de desejo, mas só havia silêncio.

"Eu te amo, Anna", ele sussurrou, e desligou o telefone.

E aí chegaram as férias de inverno, e Anna ia passá-las em casa. Será que Ted ia vê-la? É claro que ia. Eles eram praticamente melhores amigos! Conversavam toda noite. Ela tinha dito "você sempre esteve por perto quando precisei, sempre". Ele ia vê-la, óbvio. Só restava saber quando.

E onde.

E como.

No ensino médio, combinar alguma coisa com Anna era um processo tão delicado quanto uma cirurgia, e muitas vezes igualmente violento. Se ele a chamasse para sair de forma explícita, ela sempre sorria e dizia: "Claro! Ótimo! Me liga amanhã e a gente marca". Uma ligeira tensão ao redor da boca e a respiração mais pesada de Anna bastavam para sugerir que ele tinha forçado a situação. Mas, obrigatoriamente, algum problema surgia na última hora, ou então, quando ele tentava combinar os detalhes, ela simplesmente não atendia o telefone. Se ele a confrontasse sobre o sumiço ou mencionasse o compromisso desmarcado, em vez de apenas fingir que nunca tinham marcado nada, ela se afastava ainda mais, de tal forma que ele ficava envergonhado e se sentia carente por pressioná-la tanto.

Por outro lado, ela nunca deixava de mantê-lo a par das coisas que tinha combinado com outras pessoas, oferecendo um fluxo contínuo de informação sobre programas que estavam prestes a acontecer, detalhes de encontros e festas que estavam sempre *muito perto* de se realizarem. Desde que ele ouvisse sem reclamar a descrição interminável das atividades que supostamente aconteceriam sem sua presença, havia uma chance de no mínimo 30% de Anna mudar de ideia no último minuto, dizendo-se incapaz de lidar com o fardo insustentável de quaisquer que fossem aqueles compromissos sociais, e decidir passar o tempo com ele. Ela chegava na casa dele e desabava com um alívio exagerado: "Fiquei *tão feliz* que a gente resolveu ficar aqui, eu não estava *nem um pouco* no clima pra mais uma festa na casa da Maria". Era como se ambos estivessem igualmente à mercê do acaso, alheios à dinâmica de poder que governava aquela "amizade".

Mas com certeza algo tinha mudado na relação deles. Com certeza hoje em dia ela não o trataria como o tratava antigamente, não depois de dizer estas palavras em voz alta: *Você sempre esteve por perto quando eu precisei, sempre, mas eu nunca dei valor, sempre fiz pouco de você*. O que eram essas palavras senão uma confissão? E o que era uma confissão senão uma promessa, ou pelo menos uma intenção, de mudança de comportamento? Ele adorava o jeito com que a voz dela tinha falhado e tremido um pouco antes daquele segundo "sempre". *Você sempre esteve por perto quando eu precisei, sempre*. Quando eles se casassem, ela poderia incluir essas palavras em seus votos: *Você sempre esteve por perto quando eu precisei, sempre. Você sempre esteve por perto quando eu precisei, sempre. Você sempre esteve por perto quando eu precisei, sempre.*

Aquelas eram as palavras mais lindas que ele já tinha ouvido.

Na véspera do dia em que ela pegaria o avião para Nova Jersey, Ted tentou estimular Anna, da forma mais delicada possível, a falar o que ele queria ouvir. "Estou animado pra te ver", ele disse.

"Eu também! Muito."

"Você tem falado com mais alguém daqui ultimamente? Tipo, amigos, sei lá? Lembro que você falou que seus amigos daqui andavam meio sumidos."

Será que ele esperava que houvesse uma leve hesitação antes da resposta? Ela ainda não tinha lhe confidenciado a respeito de Marco; outro dia, a amiga insuportável de Rachel, Shelly, anunciou, do nada, que ouviu que Marco Hernandez tinha solicitado uma *ordem de restrição* de verdade contra Anna, que a obrigava a manter 150 metros de distância dele o tempo todo. Era óbvio que aquilo era uma fofoca ridícula, uma especialidade de Shelly, mas ainda assim ele queria que Anna de alguma forma o tranquilizasse — o ideal é que ela começasse a chorar e dissesse: *Você sempre esteve por perto quando eu precisei, sempre*, e tentasse negociar seu perdão depois de tantos anos de negligência —, mas ele aceitaria um acordo e se contentaria com a mínima pista que fosse de que ela estava disposta a fazer um esforço para eles se encontrarem.

No entanto, a conversa tomou um rumo inesperado e desconcertante.

"Na verdade", Anna disse. "Eu estava falando com a Missy Johansson, sabe? E *ela* falou pra *mim* que você estava namorando! Com a Rachel Derwin-Finkel. E eu fiquei, tipo, 'fala sério, não é possível'. Mas ela jurou que era verdade!"

"Hahahahahahahaha", Ted disse.

E aí, quando o silêncio de Anna sugeriu que aquela gargalhada igual à de um doente não era uma resposta satisfatória, ele completou: "Ahm... É. A gente está saindo".

"Saindo tipo *namorando*?"

"Sei lá. A gente não chegou a rotular." (Chegaram, sim.) "É complicado." (Não era.) "Você sabe como eu sou." (Ela não sabia.) "Mas... sim."

Ted, que no início dessa conversa estava relaxado e ereto, agora sentia vontade de vomitar. Para ele parecia profundamente errado, quase uma violação, que Anna falasse com ele sobre Rachel; parecia que seus pais tinham entrado no quarto e o flagrado fazendo sexo.

"A gente podia sair os três juntos, quando eu estiver aí! Eu ia gostar de ver a Rachel de novo. Faz tanto tempo."

"Ahm, claro. Se você quiser."

"Sabia que as nossas mães eram amigas? A gente brincava juntas, tipo, o tempo todo. Hoje em dia a gente não tem mais tanto contato, seguimos caminhos diferentes, na nossa vida social, na escola, mas a Rachel é uma menina muito legal. O que eu mais lembro da Rachel é que ela era superfã de cavalos quando a gente era pequena. E Meu Querido Pônei, essas coisas. Lembra?"

Boa, Anna. Muito bem. O que tinha *de fato* acontecido foi que tinham espalhado uma fofoca na escola que dizia que Rachel Derwin-Finkel se masturbava com os Meus Queridos Pôneis. Era uma daquelas fofocas em que ninguém acreditava muito, não exatamente, mas mesmo assim todo mundo passava adiante com o maior prazer. O próprio Ted tinha discutido o tema de forma acalorada com outros garotos na mesa do almoço, argumentando se aquilo era mesmo possível (Será que ela só enfiava lá dentro ou será...?), e depois, quando a polêmica ameaçou se dissipar, ele conscientemente a resgatou, porque o escândalo da Rachel havia tirado o foco do escândalo anterior da terceira série, que consistia na possibilidade de ele, Ted, ter sido flagrado pelo professor de música fazendo cocô no quartinho de instrumentos durante o recital de primavera, O QUE É ÓBVIO QUE ELE NÃO TINHA FEITO.

O que Anna sabia sobre a sensação de se tornar alvo de uma fofoca daquele tipo, aquela vergonha esmagadora e incontrolável? Ele queria acreditar que Anna estava com ciúmes, mas não conseguia; ela estava só demarcando território, como um cachorro fazendo xixi na grama. Será que ele chegava a existir nos pensamentos dela como uma pessoa que vivia, respirava e pensava? Ele passava tanto tempo tentando descobrir o que ela pensava, mas que tipo de consciência ela imaginava que existia atrás da máscara do rosto dele?

Pela primeira vez, Ted imaginou como seria comer a Anna do jeito que ele (quase) comia a Rachel: de um jeito cruel, sem se preocupar com seu conforto, com total consciência de que, por mais que a amasse, ele também a odiava. Na fantasia dele, Anna estava por baixo, a mão dele agarrava sua garganta, e, caralho, lá estava Rachel: eles estavam fazendo um ménage. Rachel estava pelada, de quatro, e Ted puxava Anna pelos cabelos e a obrigava a...

A forçava a...

As duas faziam...

"Você ouviu o que eu disse, Ted?", Anna perguntou.

"Não... Desculpa. Olha, eu, ahm, eu preciso ir!"

No quarto dia de Anna em Nova Jersey, Ted estava no quarto da Rachel, se vestindo depois de mais uma sessão de mais-ou-menos-coito, quando Rachel perguntou o que ele queria fazer no Ano-Novo.

"Não sei", Ted disse, colocando uma das meias. "Acho que eu vou acabar ficando em casa."

"Não dá pra você fazer isso", Rachel disse. "A Ellen vai fazer um negócio e eu falei que a gente vai."

"Quê? Por que você fez isso?"

"Fiz o quê?"

"Marcar uma coisa assim sem me consultar. Você não acha que devia ter falado comigo antes para ver se tinha alguma outra coisa que eu queria fazer em vez de ser arrastado para uma festa qualquer com um monte de adolescentes que eu nem conheço? Minha vida não gira em torno de você, sabia?"

"Ahm... Você literalmente acabou de dizer que não tinha planos pro Ano-Novo e que ia ficar em casa."

"Eu disse que *acho* que vou ficar em casa."

"Tá. O que mais você *acha* que vai fazer?"

"Sei lá. Tem uma festa na casa da Cynthia Krazewski e eu pensei em dar uma passada."

"Na casa da *Cynthia Krazewski*."

"Isso. O que é que tem?"

"A Cynthia Krazewski convidou *você* para uma festa."

"E daí?"

"Ted. Você está me dizendo que a Cynthia Krazewski te convidou para a festa de Ano-Novo na casa dela, e que você está *pensando em dar uma passada*."

"Você tá, tipo, tendo um derrame?"

"Só estou tentando entender o que está acontecendo. A Cynthia Krazewski te telefonou e disse tipo 'Oi, Ted, sou eu, a Cynthia, e quero te convidar pra minha festa'?"

"Não. Óbvio que não."

"Então quem te convidou?"

"Quê? Do que você tá falando? A Anna me convidou. O que tem a ver? Eu nem falei que tinha certeza que ia, eu disse que estava *pensando* em ir."

"Ah, *agora* eu entendi. Agora eu captei. Agora tudo ficou claro."

"Você não entendeu nada! Eu estava no telefone com a Anna e ela comentou sobre a festa da Cynthia e a gente falou em talvez ir. A gente nem chegou a combinar."

Não foi o que aconteceu. O que aconteceu foi que na noite anterior Anna tinha passado muito tempo reclamando sobre sua terrível obrigação de comparecer à festa de Cynthia Krazewski, embora aquilo fosse a última coisa que ela queria fazer na vida, e por isso Ted tinha deduzido que havia uma grande probabilidade de que, se ele calhasse de estar sozinho em casa no Ano-Novo, ele receberia uma ligação de última hora de Anna, e os dois acabariam passando o Ano-Novo juntos, e ocupariam a maior parte do tempo assistindo a *Saturday Night Live* no porão da casa do Ted, mas, quando desse a meia-noite, eles mudariam para a TV aberta para ver a contagem regressiva e ele "descobriria" uma garrafa de champanhe trincando na geladeira, e depois de brindarem juntos ele viraria para ela com um sorriso cínico e engraçadinho e diria: "Eu sei que é bobeira, mas a gente bem que podia!", e ela daria uma risadinha e diria: "Acho que pode ser!", e aí ele a beijaria de um jeito quase-de-amigo, na boca mas de boca fechada, e aí, ao se afastar, ele faria uma pausa e ficaria esperando, e ela também, e aí ela chegaria perto para beijá-lo, e aí eles começariam a se pegar de verdade, se atracando no sofá e depois no chão, e quando ele fosse tirar a blusa dela ele puxaria pra cima mas meio que torceria o tecido nos braços dela para que ficassem presos sobre a cabeça, esse era um truque que ele tinha descoberto recentemente com a Rachel, e a Anna ia fazer uma cara de Ó meio surpresa, meio sexy com a boca aberta, e ia ficar gemendo embaixo dele, e eles iam trepar e ele ia fazê-la gozar tanto que depois eles iam ficar juntos pelo resto de suas vidas.

Era um *plano infalível*.

Ah, peraí. Não era não. Era uma fantasia sexual, e ele era um imbecil.

Então, enquanto ele tomava consciência desse fato, Rachel — sua namorada, seu espelho — começou a dançar. Só de calcinha, com os peitos minúsculos balançando, fez uma dancinha medonha, uma dancinha debochando do Ted. Uma dança que, em só um segundo, conseguiu fundir tudo que ele odiava nela e tudo que odiava em si mesmo.

"*Oi, eu sou o Ted!*", Rachel falou com um sorriso sarcástico, se chacoalhando toda. "Olha pra mim! Eu sou aquele esquisitão que anda com a Anna Travis. Fico seguindo a Anna por aí porque acho que se eu fizer tudo que ela manda o tempo todo um dia ela vai gostar de mim. *Olha pra mim, olha pra mim, olha pra miiiiiiiiiiim!*"

Será que havia um ponto em que o seu ego ficava tão completamente destruído que acabava morrendo, e aí você não precisava mais arrastar o fardo de ser você mesmo? Deve existir uma palavra em alemão para esse sentimento, para quando as distorções do seu próprio pensamento chegam à superfície e de repente ficam desagradavelmente visíveis. É como passar por um espelho num shopping lotado e pensar: Quem é esse cara corcunda, e por que ele está todo encolhido como se fosse levar um soco de alguém? *Eu* queria dar um soco nele, ai, peraí, esse cara sou eu.

"Ela me convidou?", Rachel cuspiu as palavras. "Também fui convidada para ir com você na festa das pessoas descoladas?"

Ted não respondeu.

"Então ela *nem* te convidou? Ela só disse que ia, e você ia ficar correndo atrás dela feito um doente, falando ai, *Anna*, senti tanto sua falta desde que você foi pra *faculdade*, queria que a gente fugisse juntos e visse vinte horas seguidas de *Saturday Night Live*, eu ia fazer pipoca e ficar respirando ofegante dentro do seu ouvido?"

"Isso aí", disse Ted. "Foi exatamente isso que aconteceu."

"Tive uma ideia", Rachel disse. "A gente vai os três juntos na festa da Cynthia Krazewski. Claro! Por que não? Eu vou ligar pra Anna. Eu te falei que as nossas mães são amigas, né? Eu vou perguntar se a gente pode ir. Tenho certeza que ela vai dizer que sim. Vai ser divertido ver a Anna. Você ia gostar, não ia, Ted?"

"Não", ele disse. "Não ia."

Mas foi exatamente isso que eles fizeram.

Em Nova York, no ano de 2018, Ted foi colocado de barriga para cima numa maca de hospital e jogado no corredor lotado de um pronto-socorro. Sem conseguir virar a cabeça para a esquerda ou para a direita, ele ficou encarando uma lâmpada fluorescente capaz de cegar qualquer ser humano e se perguntou se ia morrer. Que coisa ridícula, ele disse a si mesmo. Eu não vou morrer coisa nenhuma. Uma moça jogou um copo d'água em mim; é um ferimento superficial; que absurdo pensar que uma pessoa poderia morrer por causa disso. Imediatamente, ele imaginou Rachel dizendo com uma voz debochada: "Tem *muita gente* que morre por causa de ferimentos na cabeça, Ted".

Ted pensou: acho que eu não vou morrer, mas estou assustado e sozinho e não estou achando legal.

"Com licença", ele gritou, e o grito atravessou uma garganta ressecada, rachada. "Será que alguém pode me dizer o que está acontecendo, por favor?"

Ninguém reagiu à suplica de Ted, mas um pouco depois umas criaturas-sombras embaçadas apareceram nadando em sua direção. Fizeram perguntas em uma língua sem sentido, e ele respondeu uma bobagem igualmente ininteligível, e foi premiado com uma picadinha no braço, e depois uma onda calma de puro prazer o inundou.

Enquanto as drogas faziam efeito, as lembranças de Ted começaram a se entrelaçar com uma alucinação bizarra mas perversamente adorável. Nessa alucinação, o copo que Angela tinha jogado em sua cabeça não tinha quicado no crânio e caído, tinha se estilhaçado. Um pedaço de vidro tinha se alojado em sua testa, e ele conseguia ver esse pedaço de vidro bem no meio de seu campo de visão, subindo como uma torre, o empalando, o imobilizando, refratando um círculo cintilante de muitos arco-íris contra a luz. Através do vidro, ele conseguia se ver refletido em toda sua glória desgraçada.

Lá estava ele.

Lá *está* ele.

Em Trenton, Nova Jersey, no último dia do ano de 1998.

Ted e Rachel estão em pé na varanda da casa de Cynthia Krazewski. Rachel se preparou como se fosse para uma batalha.

Ela veio com um vestido preto colado no corpo e um sapato de salto alto brilhoso, o cabelo num coque banana bem preso com spray fixador. Ted toca a campainha e, depois do que parece uma demora intencional, Cynthia Krazewski abre a porta.

"Oi", diz Ted. "Sou o Ted."

Rachel se enfia no meio deles. "A Anna convidou a gente", ela diz.

Cynthia diz: "Quem?".

"Anna Travis", diz Rachel.

Cynthia encolhe os ombros como se nunca tivesse ouvido falar de uma Anna Travis. Talvez não tivesse mesmo. "Enfim", ela diz. "Tem cerveja na geladeira."

Já dentro da festa, Ted localiza Anna imediatamente. Ela está num canto, falando com Ryan Creighton. Ela está usando um vestido tipo bata desbotado com legging por baixo, e pintou o cabelo num tom de vermelho indecente. Em contraste com Rachel, Anna parece um pouco... sem graça? Ela está como Ted já sabia que ela estaria: cansada, arrasada e triste. Ted pensa: será possível que a Rachel seja mais gata que a Anna? Ou que as duas sejam igualmente gatas? Seu universo treme na base, mas nessa hora ele vê Anna pondo a mão no bíceps de Ryan Creighton e flertando de um jeito risonho, e mais uma vez ela dá um golpe baixo em seu coração.

Rachel vê Ted olhando para Anna olhando para Ryan Creighton. Ela fica tensa e aperta a mão de Ted até ele sentir dor.

Percebendo que está sendo observada, Anna pega Ryan Creighton pelo braço e o leva até Rachel e Ted. Rolam uns abraços frívolos e uns *ai, meu Deus, quanto tempo*. Anna e Rachel começam a rir de umas manias constrangedoras do Ted — *já reparou que ele* — e Ryan Creighton fica com uma cara de tédio profundo.

Ted pensa: *Todo mundo nessa festa podia morrer hoje, incluindo eu mesmo, e eu não ia dar a mínima*. Ele fica muito bêbado.

Em dado momento da festa, a campainha toca e há uma leve comoção. Anna some de vista. Ted tenta ir atrás dela, mas Rachel prende sua mão num aperto firme e brutal. A fofoca que chega até eles é que Marco Hernandez esteve na festa por pouco tempo, mas foi embora quando descobriu que Anna estava presente. Surgem mais comentários sobre a ordem de restrição, se é verdade ou não, e como essas coisas funcionam.

Chega a meia-noite.

Ted beija Rachel de língua e aperta sua bunda. Ao fazer isso, ele descobre que é possível gostar de uma coisa e não dar a mínima para essa coisa ao mesmo tempo. Ele acha que essa sensação — sentir prazer e simultaneamente se sentir desconectado desse prazer — é, por si só, até que prazerosa. Ele se pergunta se por algum milagre pode ter virado budista ou sofrido um ataque psicótico.

Quando Ted finalmente retira a língua da garganta de Rachel, ele nota que Anna os observa. Anna parece chateada. Rachel vê que Anna está observando e beija Ted de novo, triunfante. Ted mais uma vez se sente como um pedaço de grama mijada.

Anna desaparece, mas, quando Rachel sai para ir ao banheiro, ela volta.

"Ted, posso falar com você?", ela pergunta.

"Claro", ele diz. "O que rolou?"

"Em *particular*."

Ela o leva lá fora, na varanda. Está um frio congelante, com uma leve chuva de granizo, mas Ted está envolto no calor da embriaguez e não chega a se importar. Anna acende um cigarro. Ela solta uma onda cinza de fumaça e coça a própria coxa. Para o Ted, é novidade que Anna tenha começado a fumar.

"Eu não acredito", ela enfim diz. "Não acredito que você fez isso."

"Fiz o quê?"

"Beijou a sua namorada daquele jeito. Passando a mão e tudo. Bem na minha frente."

"Ahm?", Ted diz. "Quê?"

Anna se debruça.

"Sei lá...", ela diz. "Acho que eu pensei..." Ela começa de novo. "A gente passou semanas falando sobre como ia ser difícil pra mim, e como eu estava preocupada com tudo, em ver todo mundo. Você sabia que eu nem queria vir aqui hoje, mas aí você decidiu vir com a sua nova namorada, então eu tive que vir. Aí o Marco apareceu e foi, tipo, supertraumático, e quando eu vou te procurar porque preciso de apoio, você está num canto agarrando a Rachel Derwin-Finkel. É tão... Eu sinto que a nossa relação não é mais a mesma, que eu perdi você de alguma forma. Sinto sua falta, Ted."

Ela está com lágrimas nos olhos. Ted nunca tinha visto Anna tão desiludida, e ela ficava muito, muito triste com certa frequência.

"Por que você não está dizendo nada?", Anna pergunta, fungando.

"Acho que...", Ted diz. "Não sei direito o que dizer." Ele a abraça de um jeito desajeitado. "Estou aqui para o que você precisar, Anna. Você sabe disso."

"Eu sei", ela diz. Ela apoia a cabeça no ombro dele e, por um segundo, tudo volta a ser como naquela ótima noite, a noite da fogueira, um véu que se ergue brevemente, o círculo se quebrando: Marco magoa Anna, Anna magoa Ted, Ted magoa Rachel, esses ciclos intermináveis de ciúme e sofrimento.

Anna diz, chorando: "Cansei de correr atrás desses caras que são um lixo. Quero estar com alguém em quem eu confie. Quero estar com alguém *bom*".

E aí a Anna, Anna luminosa, Anna linda; Anna, com suas covinhas e pele lisinha e sardinhas no nariz e um cabelo lindo, lindo; Anna, e seu cheiro que o encanta; Anna, que o arruinou para todas as outras mulheres; Anna, por quem ele morreria. Anna, a menina mais perfeita do mundo...

Anna o beija.

Eu vou ser bom para você, Anna, Ted pensa, e a abraça. *Eu vou ser bom para você pelo resto da minha vida.*

Só me dá um minutinho para eu ir ali terminar com a Rachel.

Anna fica esperando na varanda enquanto Ted volta lá dentro para dizer a Rachel que está indo embora. "É a Anna", ele diz. "Ela... A gente..."

Ele não termina a frase. E nem precisa. Rachel olha para ele de um jeito que o penetra bem fundo, fundo, fundo da coisa disforme e esfarrapada que é a alma dele.

É claro que há gritos.

Há lágrimas.

Há arremesso de cerveja. (Só o líquido, não o copo.)

Mas então, no final, Ted sai da festa com Anna. Ele sai com Anna Travis de uma festa à qual chegou com Rachel Derwin-Finkel, e, se é que existe um céu, esse é o sentimento no qual ele terá a permissão de habitar por toda a eternidade; o momento mais grandioso e triunfante de toda sua vida.

Vinte anos depois, do ponto de vista de sua maca no hospital, ele tem que admitir que, a partir dali, as coisas só foram ladeira abaixo.

Ted perde a virgindade com Anna Travis em 13 de março de 1999, na cama de cima do beliche do dormitório dela na faculdade, depois de eles completarem três meses e meio de namoro à distância. Para a surpresa de ambas as partes, Ted tem dificuldade em manter a ereção. O motivo, embora ele nunca, jamais fosse confessar, é a expressão no rosto de Anna. Ela parece tão comportada. Parece que ela está tomando um remédio, ou comendo legumes. Parece que ela está pensando: *então tá, a minha vida é tão péssima que acho que não faz diferença se eu transar com o Ted.*

Não, não é justo. Anna vai transar com o Ted porque ela o ama. Desde que começaram a namorar, ela disse que o amava dezenas de vezes. Ela vai transar com ele *porque* o ama, e porque ele a ama, e o sexo faz parte dessa relação de igualdade. Ela o ama porque ele é "bom". Mas com "bom" ela quer dizer "confiável". E com "confiável" ela quer dizer: "Você me ama tanto que você nunca, nunca vai me magoar, né?".

Anna ama Ted, mas não o deseja de um jeito que a faça sofrer; não o deseja desesperadamente, à revelia de si mesma. E eis que é assim que Ted sempre desejou ser desejado: do jeito que ele sempre desejou as mulheres. Do jeito que Anna desejava Marco, e ele desejava Anna, e Rachel (pelo que parecia, pensando agora) o desejava.

Na falta desse desejo doloroso, Ted tem dificuldade para ficar de pau duro. De início, ele tenta lidar com o problema da ereção evanescente gritando consigo mesmo: TED, VOCÊ ESTÁ TRANSANDO COM A ANNA TRAVIS! Mas não adianta. O que levanta seu pau, no fim, é pensar na Rachel. Em como, se soubesse que ele estava transando com a Anna Travis, ela ia ficar tão louca de ciúmes, tão brava. Olha pra mim, Rachel, ele pensa, vitorioso, quando goza.

Sua puta desgraçada, sua piranha burra desgraçada.

Ted e Anna namoram, à distância, por um ano e meio. No primeiro ano, ele luta com valentia para fazer dar certo, mas, nos últimos seis meses, ele a trai: primeiro com uma menina do mesmo andar de seu dormitório na faculdade, depois com a garota que vem a se tornar a próxima em sua série de namoradas, e, entre uma mulher e outra, ele também trai Anna com Rachel Derwin-Finkel quando ambos voltam para casa no feriado de Ação de Graças. Enquanto Ted está transando com Rachel, a Anna Imaginária fica o tempo todo flutuando ao redor dele, batendo suas asas de anjo no rosto dele: *eu sou tão linda, tão perfeita*, ela suspira. *Como você pode preferir esse sexo bizarro e horrível com a Rachel Derwin-Finkel? Você é mesmo esse tipo de pessoa?*

A questão é que é um alívio tão grande transar com a Rachel Derwin-Finkel. Ele não precisa fingir nada perto dela. Ela sabe exatamente quem ele é.

Conforme vai ficando mais velho, ele se vê refinando a técnica que usou lá no começo, mesmo sem querer, com Anna; seu truque secreto de sedução. Funciona assim: você arrasta o seu coração diante delas como se fosse isca. Finge que você é uma presa fácil, mas sempre se mantém levemente fora de alcance. Olha só, sou eu, euzinho, só o Ted meio nerd. Você é tão mais bonita que eu, você é tão mais legal que eu, você é a mais incrível a mais inteligente a melhor. Com você, por você, eu poderia ser o melhor namorado de todos, todos os tempos.

O Ted patético, o Ted nerd baixinho, o Ted pegador, usando seus milhares de ganchinhos para agarrar o ego de uma mulher, tipo uma farpa que fica presa na barra da calça. Tudo que ele precisa fazer é sorrir e emplacar meia dúzia de comentários autodepreciativos, e as mulheres começam a se convencer de que ele é tão "legal" e "inteligente" e "engraçado". Elas negociam consigo mesmas e se contentam com ele, se dispõem a ir a um só encontro. Elas sentem orgulho de si mesmas por darem uma chance a ele.

Quanto mais velho ele fica, mais aumenta o seu valor de mercado. Mais e mais mulheres querem escapar daquela infinita corrida pelos Marcos; elas só querem se jogar nos braços de seus Teds.

Ted escuta outros homens comemorando essa nova inversão de poder, o fato de que agora, aos trinta anos, ficou muito mais fácil marcar encontros. Talvez existam homens que consigam entrar nessa negociação de coração aberto, que olhem nos olhos de suas Annas e não se importem com a verdade que veem ali... mas não Ted. O que Ted viu nos olhos de Anna ele também vê nos olhos de Sarena e Melissa e Danielle e Beth e Ayelet e Margaret e Flora e Jennifer e Jacquelyn e Maria e Tana e Liana e Angela: aquele cansaço, aquela vontade de desistir. Ele vê que elas falam de um jeito arrogante sobre se contentar com um "cara legal", e isso significa: um cara que elas secretamente pensam que não as merece. Ele vê que elas pensam que vão se safar.

Ele sente prazer nisso tudo, uma espécie de prazer, em foder com essas mulheres, mas é um prazer entrelaçado com ódio, tanto por elas quanto por si mesmo. Ele consegue se vingar por meio das fantasias, que vão ficando cada vez mais complexas, até que finalmente passam a envolver facas afiadas e desespero absoluto. É tipo aquela brincadeira que as crianças fazem: *Por que você está batendo na sua cara? Para de bater na sua cara!* Só que nesse caso é: *Para de se empalar com o meu pau!*

As mulheres que ele namora sempre acabam se voltando contra ele, é claro. Quanto mais elas sentem que se prejudicaram ao lado dele, com mais paixão o perseguem quando ele bate em retirada. Ele se torna um instrumento de pura autopunição: o que há de errado comigo se nem esse *fracassado de merda* vai me dar o que eu quero? Elas identificam nele todo tipo de problemas que elas devem consertar: ele não está "em sintonia com as próprias emoções" ou tem "medo de compromisso", mas nunca questionam aquela premissa básica de que, em algum lugar lá no fundo, debaixo daquilo tudo, ele quer estar com elas. É claro que você sente alguma coisa por mim, Angela poderia muito bem ter dito logo antes de jogar o copo na cara dele. Admite, caralho!

Eu sou *eu*.

E você é *o Ted*.

Em 2018, Ted tem tanto Anna quanto Rachel como amigas de Facebook, embora não veja nenhuma delas há anos. Rachel está casada, virou pediatra e mãe de quatro filhos; Anna mora em Seattle e é mãe solteira. Agora ela parece estar bem, mas há pouco tempo passou por uma fase difícil; Ted desconfia que ela esteja em algum tipo de programa de reabilitação. Ela posta citações motivacionais bobas que Ted sente que não combinam com ela: *Não posso mudar a direção do vento, mas posso ajustar as velas para chegar ao meu destino* e *É nos momentos mais sombrios que devemos tentar ver a luz*.

Ele pensa em Anna agora, deitado na maca. Na verdade, ele a vê. Ela vem em sua direção por entre os arco-íris, seguida por um coro de vozes, um farfalhar de asas.

Que horas são? Que dia é hoje? Que ano? Essa é a Anna, mas ela não veio sozinha. Ela veio com todas as mulheres do tribunal. Elas estão aqui, ao pé da cama, cochichando sobre ele, observando de pertinho, julgando como sempre o julgaram. Estão brigando, discordam entre si, e ele intui que há um mal-entendido bem no centro da questão, alguma confusão fundamental. Ele poderia esclarecer tudo, mas só se não tivesse um caco de vidro gigante enfiado em sua testa, se o sangue parasse de se acumular dentro de sua boca.

Eu não queria magoar ninguém, ele tenta dizer. Eu só queria ser visto e amado do jeito que sou. O problema é que era tudo um mal-entendido. Eu fingia que era uma boa pessoa e depois eu não conseguia mais parar.

Não, *espera*. Deixa eu começar de novo. Não era bem assim.

Tudo que eu sempre quis foi ser amado. Bom, ser adorado. Ser desejado de um jeito louco e doloroso, a ponto de excluir todo o resto. É tão errado assim?

Não, espera. Com certeza não foi isso que eu quis dizer.

Escuta, escuta. Eu posso explicar. Tem um Ted ruim debaixo do Ted bom, sim, mas aí, mais embaixo *ainda*, tem um Ted que é bom de verdade. Mas ninguém nunca vê esse Ted; a vida toda, ninguém nunca viu. Por baixo de tudo, eu sou só aquele menino que não queria nada além de ser amado e não sabia como fazer isso acontecer, embora ficasse tentando sem parar.

Ei, parem. Deixa eu descer. Tô tentando falar uma coisa. Será que vocês podem parar de falar e me ouvir, por favor? Aquela luz ali em cima tá machucando o meu olho. Mas, fora isso, alguém pode ligar o ar-condicionado? Ia ser um pouquinho mais fácil explicar se não estivesse esse calor da porra. Isso aqui no meu pé é fogo?

Tô tentando falar uma coisa importante. Aonde vocês estão me levando?

Escuta aqui, será que dá pra vocês...

Eu sou um cara legal, eu juro por Deus, caralho.

O garoto na piscina

"Vamos assistir de novo", diz Taylor. Ela está sentada tão perto da televisão que Kath consegue ver aquele brilho gélido em tons pastel refletido em suas maçãs do rosto enquanto os créditos sobem.

"Pensei que a gente ia brincar de alguma coisa", reclama Lizzie, mas Taylor já está engatinhando em direção ao videocassete. Kath desconfia que Lizzie gosta do filme tanto quanto Taylor, mas tem vergonha de demonstrar. Taylor, por sua vez, não tem vergonha de nada: "De que parte vocês mais gostaram, meninas?".

"Ahm... de todas", diz Lizzie.

Kath pega um punhado de milho de pipoca que não estourou na tigela quase vazia e fica chupando o sal para ganhar tempo. "Eu gostei...", ela começa a falar. Durante o filme, houve um momento em que Taylor ficou esfregando as pernas uma na outra, se balançando um pouco, e uma vermelhidão se espalhou por seu rosto e pescoço. Kath ficou fascinada. "Eu gostei da parte em que a moça joga o garoto na água, e aí ele sobe pra respirar..."

Há uma pausa meio confusa em que Lizzie olha para ela sem esboçar nenhuma emoção, mas então Taylor solta uma risadinha e Kath sabe que ela adivinhou. "Ai, meu Deus, sim! O jeito que ele olhou pra ela? Imagina alguém olhando pra você daquele jeito. Tipo o Eric Harrington..." Os olhos de Taylor voam em direção a Lizzie. "Ou o sr. Curtis. Lizzie, imagina o sr. Curtis olhando pra você daquele jeito."

"Cala a boca", Lizzie diz, jogando um travesseiro em Taylor. Taylor rebate o travesseiro, rindo, e se joga em cima de Kath, colocando a cabeça em seu colo num gesto inesperado. "Olha, é a parte boa", ela diz, apontando para a TV, na qual um adolescente nadando estilo borboleta atravessa a tela. "Vamos assistir a partir dessa parte."

Kath é a que está mais perto da tela, mas, se mudar de posição, Taylor também vai precisar se mexer, então ela espera para ver se Lizzie vai apertar o *play*, e ela aperta.

Na tela, um garoto nada só de cueca, observado por uma mulher cujos lábios têm o mesmo tom de vermelho das unhas compridas e afiadas. Taylor suspira satisfeita e se encosta na Kath. A mulher surge das sombras e balança o dedão do pé na outra borda da piscina, como se fosse uma isca. Kath não sabe direito o que fazer com as mãos. O garoto nada em direção à mulher e diz alguma coisa que Kath não consegue ouvir muito bem, já que elas abaixaram o volume por causa da mãe da Taylor. A mulher começa a brincar com o garoto, a provocá-lo e deixa que ele se aproxime para empurrá-lo em seguida. Kath decide apoiar uma mão no chão e a outra na perna. O garoto pega o pé da mulher, segura-o com as duas mãos, e na sequência dá um beijo em cada uma das unhas pintadas. Lizzie bufa. "Que coisa ridícula", ela diz. "Quem ia querer beijar o pé nojento de outra pessoa?" A mulher apoia o pé no ombro nu do garoto e o empurra para dentro da água. Muito, muito de leve, Kath começa a fazer cafuné no cabelo de Taylor. O garoto sobe, tenta respirar, e a mulher o afoga mais uma vez. Ele se debate na água, agarrando a panturrilha da mulher. O garoto é meio que uma mistura de River Phoenix com Leonardo DiCaprio: tem aqueles olhos doces e tristonhos. Kath passa os dedos pelos cabelinhos que Taylor tem nas têmporas, e eles se arrepiam com o toque. A mulher solta o garoto e ele volta à superfície, com gotículas de água presas nos cílios, no cabelo escuro e repicado. Quando abre os olhos, ele encara a mulher daquele jeito que Kath sabe que Taylor adora: de um jeito que diz *eu deixo você fazer o que quiser comigo*. Taylor se estica e estremece de prazer, transmitindo uma sensação efervescente que sobe pela espinha da Kath. A mulher dá risada e beija o garoto, depois escorrega apoiada em seus ombros. O garoto enterra a cabeça entre as coxas da mulher.

Naquela noite, Kath e Lizzie brincam de levantar Taylor até lá no alto, acima da cabeça de todas, e ela flutua por milagre, como se não pesasse nada, por meio segundo antes de despencar no chão. Elas jogam MASH e descobrem o nome dos futuros maridos e, quando Lizzie pega no sono, Kath e Taylor tentam induzi-la a fazer xixi na calça colocando sua mão numa xícara de água morna, mas o truque não funciona.

O filme continua sendo item obrigatório nas festas do pijama nas semanas seguintes, mas aí a mãe da Taylor encontra e esconde a fita, então elas trocam por *O mistério de Candyman*. Taylor continua obcecada pelo filme por mais ou menos um mês, mas aí do nada ela começa a andar com a Greta Jorgensen, que tanto a Kath quanto a Lizzie não suportam, e então todas ficam brigadas por algumas semanas, e, quando enfim voltam a ser amigas, as festas do pijama parecem coisa do passado.

Ainda assim, no segundo ano do ensino médio, quando Taylor tenta explicar para Kath por que começou a namorar o Jason McAuliffe, ela diz: "Eu gosto do jeito que ele olha pra mim", e Kath lembra do garoto na piscina. O garoto na piscina, Kath conclui, é um garoto que beija os seus pés e fica agradecido, um garoto que sofre, um garoto disposto a sofrer por *você*. Ela usa esse conceito para tentar explicar a si mesma por que Taylor passa quase todo o ensino médio namorando uma série de maconheiros e alcoólatras depressivos; por que, com cada vez mais frequência, completos desconhecidos a abordam nas festas para perguntar o que sua melhor amiga linda, popular e talentosa viu nele — "ele", no caso, é qualquer um naquela coleção de garotos tristes e inúteis.

Kath sai do armário sem fazer alarde no último ano do ensino médio, e logo fica tão envolvida na missão de estar apaixonada por sua primeira namorada da vida real que é mais fácil esquecer todo aquele tempo que tinha passado babando pela Taylor. Ou nem tanto esquecer, mas lembrar de um jeito um pouco falso, como se tivesse sido só uma amizade adolescente muito intensa, o que de certa forma era mesmo. O que resta daquela paixão é o costume de observar Taylor com muita, muita atenção, fazendo um esforço para interpretá-la, lendo todos os sinais.

Certa noite, quando ambas estão muito bêbadas, Taylor começa a ficar mórbida e chorosa por causa de mais um de seus muitos términos, e Kath diz: "Você é um desastre. Não acredito que eu passei tanto tempo apaixonada por você".

Taylor fica tão chocada com essa fala que o ataque de choro acaba na hora. "Você era *apaixonada* por mim?", ela diz.

"Deixa pra lá. Esquece que eu disse isso", Kath corta e, depois que a bebedeira passa, nenhuma delas toca mais no assunto.

As três amigas se dispersam pelo país para fazer faculdade. Taylor conhece um cara novo, Gabriel, no fim de semana da recepção dos calouros e, ao longo dos próximos quatro anos, ela e

Kath se afastam. O relacionamento com Gabriel, pelo que Kath fica sabendo principalmente por Lizzie, parece tóxico, uma sucessão infinita de idas e vindas cheias de lágrimas: os dois vivem num morde e assopra. Pela primeira vez na vida, as paixões de Taylor ameaçam tirá-la do rumo. Último ano, ela e Gabriel terminam e ele foge para a Califórnia. Ela vai atrás dele e tranca a faculdade quando ele concorda em voltar. Lizzie vai visitá-la e volta contando que ela não anda muito bem: perdeu dez quilos, o que pode até ser normal em Los Angeles, mas também anda bebendo vodca tônica praticamente o tempo todo, e está com olheiras profundas e um monte de hematomas que vão do ombro ao cotovelo.

"Você acha que a gente devia, tipo, fazer uma intervenção?", ela pergunta para Kath, mas Kath decide não se envolver.

"Ela faz o que achar melhor", Kath diz.

E não é todo mundo assim?

Dez anos depois, Kath e Lizzie moram no Brooklyn. Lizzie trabalha numa ONG voltada para a educação; Kath é advogada especializada em Direito Contratual. Kath se relaciona com homens e mulheres, Lizzie faz piadas irônicas e autodepreciativas sobre o próprio azar no amor. Taylor continua na Califórnia. A relação com Gabriel finalmente acabou, mas, antes do fim, houve traições, tentativas de suicídio e visitas da polícia. Lizzie sabe mais detalhes do que Kath. De tempos em tempos, as três marcam um Skype e, durante as chamadas de vídeo, Kath e Taylor praticamente tomam conta da conversa, falando em ondas curtas e intensas, como se nada tivesse mudado — mas as ligações são sempre estimuladas e organizadas por Lizzie e, quando Lizzie está ocupada demais para marcar, passam meses sem que Kath e Taylor troquem uma palavra.

Depois que se libertou de Gabriel, Taylor parece levar uma vida bem melhor. Arranjou um emprego novo, trocou de terapeuta, terminou a faculdade. E, pelo que Lizzie conta, começou a namorar alguém, e o cara é produtor, ou algo assim, um tal de Ryan, que parece fazer muito bem pra ela. "Que maravilha!", Lizzie grita, pelo Skype, quando Taylor revela certa noite que ela e Ryan estão noivos. "Essa é a melhor notícia de todos os tempos!"

Ao lado dela, no sofá, Kath vivencia um instante de deslocamento confuso, como se sua alma de repente saísse de um lugar muito distante e retornasse para o corpo. *Ryan?*, ela pensa, *quem é esse tal de Ryan?* — antes de voltar a si e também dar os parabéns, se esforçando ao máximo para espelhar o tom eufórico de Lizzie.

"É claro que eu quero vocês duas no casamento", Taylor diz.

Kath faz que sim com a cabeça, e Lizzie diz: "A gente não perderia isso por nada no mundo". Mas quando o assunto passa para buffets e sapatos e vestidos, Kath capta um sutil desconforto, como se Taylor quisesse contar alguma coisa e ainda não conseguisse. O motivo fica claro na manhã seguinte, quando Kath e Lizzie estão tomando brunch e chega uma mensagem de texto no celular de Kath.

O rosto de Kath se contorce de um jeito tão dramático que Lizzie fica paralisada, com uma garfada de ovos beneditinos no meio do caminho até a boca. "O que foi?", Lizzie faz questão de saber e, como Kath não responde na hora, ela repete: "O que aconteceu?".

Kath vira o celular para mostrar a mensagem a Lizzie.

As sobrancelhas de Lizzie grudam uma na outra. "Ah."

"Ela tá falando sério?", Kath se revolta. "Eu nunca nem vi esse cara. Ela não tem nenhuma amiga em Los Angeles?"

"Nossa, de onde veio isso? Que coisa horrível que você falou."

Kath diz: "Foi você que deu apoio pra ela esse tempo todo. Se fosse para convidar uma de nós para ser a dama de honra, tinha que ser você".

"Só que não fui."

"Só que eu não quero."

"Você tem que ir", diz Lizzie, mas ela está errada. Na mesma noite, Kath bebe três cervejas seguidas e telefona para Taylor. "Olha...", ela começa a falar, e logo depois entra num monólogo gigantesco, desconexo, dramático e egocêntrico. "Eu sempre tive uma relação muito difícil com festas de casamento... Não faz muito meu estilo... O orçamento anda meio apertado... Junho é meu mês mais corrido no trabalho... Sei que ela não vai demonstrar, mas acho que a Lizzie vai ficar muito chateada..."

Taylor escuta bravamente, interrompendo aqui e ali só para dizer "sei" e "claro" e, depois de vinte minutos, elas chegam ao acordo de que Lizzie vai ser a dama de honra e Kath vai ser uma "madrinha especial" com responsabilidades a combinar.

"A indústria do casamento é essencialmente capitalista e antifeminista, e eu não apoio nada disso", Kath diz a Lizzie quando as duas saem para beber de novo.

"Em outras palavras, você é uma vadia sem coração."

"Vou ler um poema, sei lá", Kath diz. Mas ela não consegue escapar tão fácil. Poucos dias depois, Lizzie a informa que ela será a responsável pela festa de despedida de solteira.

"Tipo tiaras e canudos de pinto?"

"Não", diz Lizzie. "*Sem* tiaras e canudos de pinto. Me faz um favor: tira a cabeça da sua bunda por um segundo e tenta pensar em algo que ela vai gostar."

Então Kath tenta. Tenta com tanta vontade que fica até surpresa. Manda um e-mail para as outras convidadas da festa, perguntando se alguma delas é vegetariana ou religiosa ou está grávida, depois faz uma planilha para organizar as preferências e disponibilidade de todas. Ela afunila as possibilidades e chega a três boas opções, depois faz uma votação. Quando sai o resultado, ela liga para Lizzie e revela que vão passar um fim de semana num chalé nas Sierras. "Você mandou bem!", Lizzie exclama quando vê o site do chalé: lareira enorme, banheira de luxo, uma vista incrível.

Kath fica orgulhosa de sua conquista. Ela e Taylor têm algumas conversas boas, só as duas. Ela descobre mais coisas sobre o Ryan: de onde ele veio (Colorado), como ele e a Taylor se conheceram (eHarmony), e o que a Taylor mais gosta nele (a estabilidade, a honestidade, a preocupação com o meio ambiente, a relação próxima-mas-não-*muito*-próxima com a mãe). Talvez esse seja o início de um fértil segundo ato na amizade das duas, com a distância aplacada e as velhas feridas enfim cicatrizadas.

Mas de repente: desastre. Lizzie, com os pés em cima do sofá da Kath, bebendo vinho: "Então, é o seguinte, a Taylor está com vergonha de te dizer, mas ela quer mudar os planos para a festa de despedida de solteira".

"Quê? Ela não gostou do chalé?"

"Não, não é isso, ela gostou. Gostou mesmo. Mas acho que o que aconteceu é que o Ryan decidiu ir para Vegas com os amigos, e vai ficar todo mundo jogando no cassino, bebendo até cair, o lugar cheio de strippers, e a Taylor sentiu que um fim de semana só de meninas nas montanhas não chega aos pés."

"Strippers? Eu pensei que o Ryan fosse, tipo, o sr. Responsável."

"Ele é. Não tem nada a ver com ele. E acho que é por isso que ela ficou tão chateada."

Kath estremece. "E agora?"

"Ela quer uma coisa um pouco mais... louca. Tipo o que despedidas de solteiro são para os homens. A última oportunidade de aproveitar um pouquinho antes de sossegar de vez."

"Se ela acha que casar com esse cara é deixar de aproveitar, ela não devia casar", Kath diz.

"Não faz drama. Você consegue organizar outra coisa ou não?"

"Não consigo pensar em nada que ela vá gostar."

"Só tenta, pode ser? Ela tá precisando. Seja amiga dela."

Kath, tentando, pensa em mil ideias, mas não fica satisfeita com nenhuma. Qual é o equivalente feminino de um cara com todos os amigos em Las Vegas? Uma turma de mulheres meio bêbadas gritando e enfiando notas de dinheiro na cueca de um cara malhado e lambuzado de óleo? Isso não é nem louco nem sexy nem transgressor, é uma piada. Um mané fantasiado de policial batendo na porta e arrancando a calça? Pensar nisso dá até raiva: a Taylor intensa, que *quer* com mais vontade do que qualquer outra pessoa que Kath já conheceu, merece mais do que essas paródias que transformam o desejo numa coisa ridícula. Mas o que a Taylor quer?

Oi, Liz, será que dá pra deixar o orçamento do lance da Taylor mais flexível?

Não sei, talvez! Pq?

Se eu desse um pouco mais de $ pra fazer uma surpresa pra ela, você daria tb?

Claro, acho q sim. Em que vc tá pensando?

Ahhhhh, ainda não vou te contar. Por enquanto é só uma ideia maluca. Se eu conseguir, você vai ficar sabendo.

Eis a primeira dificuldade: ela nem lembra o nome do filme. Taylor tinha gravado da TV a cabo por acidente, enquanto tentava gravar outra coisa. Mas tinha errado na hora de ajustar o timer e acabou gravando aquele filme de terror erótico cafona de que nenhuma delas tinha ouvido falar; um filme que mesmo aos doze anos elas sabiam que era péssimo e teriam ficado com vergonha de assistir, não fosse pelo garoto que fazia o personagem principal que deixava a Taylor louca.

O garoto. Será que ela sabia o nome dele? Parece que um dia soube. Primeiro nome, uma sílaba, ela pensa. Chad, Nick ou Brad. E talvez ele tenha três nomes, igual a vários atores daquela época — Chad Michael Nickerson. Nick Bradley Chaderson. Brad Chad Daderson.

Não. Já era.

Tá. E o que acontecia no filme mesmo? Bem, tinha uma cena de sexo. Numa piscina. Protagonizada pelo garoto adolescente, Chad-Brad-Não-Sei-Quem, e uma mulher mais velha, que depois a gente descobria que era tipo uma vampira; ela consegue se lembrar daquela cena quase quadro a quadro. Mas, como era de se esperar, jogar *Filme cena de sexo piscina mulher vampira* no Google não a leva a lugar algum. Nem completar com *Anos 90* ou *Cinemax*. Nem com *sexo oral*. O que mais? Ela se esforça para lembrar. Não tinha alguma coisa com... um coveiro? Alguém que ressuscitava? Ela lembra de uma imagem do garoto e da mulher deitados juntos num caixão, o garoto apoiado no peito da mulher. Tinha alguma coisa com uma faca, é isso, que alguém tinha que esconder. Ou será que era outro filme? Parece impossível, mas ela sabe que não é. Hoje em dia nada se perde. Ela só precisa de um detalhe. Alguma coisa que dê para usar na busca. Só uma coisa.

São três da manhã quando vem à cabeça. Mais uma cena. A mulher, e outro cara, e o garoto. A essa altura os três já tinham virado vampiros e ficavam deitados juntos na cama, bebendo o sangue uns dos outros. Que *porra* era esse filme, doze anos de idade rindo e comendo pipoca e vendo terror pornô. Mas o cara, que talvez fosse o marido da mulher ou mestre vampiro ou criador — ele pegava o garoto e fazia uma... cicatriz, ou uma tatuagem? Ela lembra do garoto deitado de bruços, e o homem e a mulher o observando de cima, e aí eles escreviam alguma coisa no corpo dele que dizia, dizia... ela não lembra.

Mas ela *quase* lembra, porque na semana seguinte Taylor escreveu no caderno durante a aula. Tinha um coração, uma faca pingando sangue e uma frase, e a frase era alguma coisa de amor. Kath lembra porque Taylor tinha esquecido o caderno em sua casa e Kath nunca devolveu; tinha lido aquela frase centenas de vezes, contornando o sonho de Taylor com o dedo:

Amor é...

Amor é...

Sua memória como um disco riscado, que pula várias vezes no mesmo risco.

Amor é, amor é.

Ela volta, começa de novo...

Amor...

Amor...

O amor crava...

O amor cria...

E começa a se contorcer de dúvida.

O amor cria monstros.

É isso.

Basta.

Via IMDB:

O ator, escritor e produtor Jared Nicholas Thompson ficou famoso por sua performance de estreia como o personagem sem nome conhecido como Garoto na Piscina em Segredos de sangue *(1991), um filme de terror lançado direto em vídeo que se tornou um clássico das madrugadas da TV a cabo no início dos anos 1990. Ele também trabalhou nos filmes* Me salva (1994), Passando do limite (1995) e Exposição fatal (2000), *assim como na produção original da Lifetime* Promessas de irmãs (1993). *Depois de passar dez anos afastado dos sets de filmagem, período no qual trabalhou como marceneiro, dançarino profissional e babá, Jared voltou à indústria para atuar por trás das câmeras como roteirista e produtor. Seu projeto mais recente é a websérie* PaiZoação (*atualmente em produção*), *criada por Jared em parceria com seu amigo e colaborador de longa data Doug McIntyre. Hoje Thompson vive em Los Angeles com sua esposa e seu filho de seis anos.*

O garoto na piscina é hoje um homem quase quarentão com uma teia de pequenas rugas em volta dos olhos. Ele tem um perfil no Twitter e um canal no YouTube, assim como um séquito minúsculo e empolgado de fãs do sexo feminino que administram sua página no Facebook e o chamam pelo primeiro nome de um jeito pedante. A maior parte dessas mulheres parece ser fã de sua performance como O Garoto na Piscina, mas todas fingem interesse em seus últimos projetos numa tentativa óbvia de ganhar sua atenção: *Ansiosa pra ver a nova série #paizoação, do @jnthompsn — sou fã desde #ogarotonapiscina*. Jared religiosamente retuíta todas as menções a #paizoação, mas ignora as referências mais sensuais a seus trabalhos antigos (*achei minha paixão da época do cine privê, @jnthompsn — pqp continua gatoooo*), e Kath elabora sua primeira mensagem ciente disso.

As oportunidades disponíveis para atores que chegaram ao auge da fama como personagens sem nome nos filmes de terror pornô *softcore* dos anos 1990 devem ser bem limitadas: Kath escreve para ele às sete da noite; ele responde um pouco depois da meia-noite, e dois dias depois eles marcam uma conversa por Skype. O rosto dele surge na tela do computador, mais nítido que a memória, um emissário vívido dos tempos de outrora.

Jared tem uma voz suave, um pouco rouca, e uma risada surpreendentemente aguda, melodiosa. Ele envelheceu, mas mudou tão pouco que a visão é quase macabra: a mesma pele pálida, o cabelo escuro, os olhos grandes e indecisos. Kath perde os primeiros minutos da conversa rodeando os reais motivos da ligação, sondando Jared. Seu rosto expressivo pode ser sua maior ferramenta como ator, mas, numa negociação, é uma característica que o entrega completamente. Quando ela dá a entender que ele pode não ser exatamente o que procurava, ele murcha; quando ela o elogia, ele incha e se ergue como uma planta que acabou de ser regada.

Ela explica a oportunidade, evitando detalhes e enfatizando o valor a ser pago: quinhentos dólares só para comparecer e ficar duas horas, mais quinhentos dólares de bônus se tudo der certo. Ele titubeia antes de concordar, e ela se pergunta se ele sabe o que de fato está acontecendo. Ela tem certeza de que, se mencionasse as palavras "despedida de solteira", ele recusaria a proposta — é óbvio que ele luta para ser levado a sério, abatido pelo que ela julga ser a arrogância deslocada de um mocinho que ficou velho. Mas, por definição, o que é uma "despedida de solteira"? É só um grupo de mulheres que têm vontade de conhecê-lo, só isso. Conversar educadamente. Paquerar um pouquinho. Ver se conseguem convencê-lo a tirar a camisa. Talvez tentar persuadi-lo a entrar na piscina.

Depois de garantir o convidado de honra surpresa, Kath muda o local da festa do chalé nas Sierras para um hotel no centro de Los Angeles. Em vez de trilhas e fogueiras e sacos de dormir no porão só com as meninas, vai ser um dia de spa em grupo, massagens com aromaterapia, karaokê, dança e open bar de vinho. Ela organiza, faz as reservas, encomenda, cuida do rebanho — e depois chega ao Aeroporto Internacional de Los Angeles, onde Taylor vai buscá-la. É a primeira vez que elas se encontram pessoalmente em... *faz quanto tempo?*, elas exigem a resposta uma da outra enquanto se abraçam. *O tempo passa muito rápido. Será que foram tantos anos assim?*

A aliança de noivado em ouro rosé de Taylor, coroada por um diamante pesado e prismático, espalha uns arco-íris no teto do carro. Ela também mudou pouca coisa nos anos que passaram — a única diferença real que Kath consegue detectar é um certo inchaço nas juntas das mãos. A casa térrea onde ela mora com Ryan em Echo Park é bem decorada, e as peças de arte geométrica em cores claras brilham nas paredes brancas. Há uma lousa em cima da geladeira, que exibe uma série de tarefas relacionadas ao casamento, escritas na caligrafia caprichada e redonda de Taylor; a lista se chama: *Lista de mel*.

Lizzie chega de viagem na mesma noite e, ao contrário de Kath, lembra de trazer um presentinho. Embora seja a primeira noite desde o ensino médio que as três passam sob o mesmo teto, elas vão para a cama cedo, e as atividades da despedida de solteira são inauguradas na manhã seguinte, com um brunch intensamente instagramado.

Ao longo do dia, elas vão do brunch ao spa e depois ao bar de sangria para drinques de happy hour, e o tempo todo Kath investiga compulsivamente o rosto de Taylor em busca de sinais do que o futuro reserva. Em dez anos, será que ela vai estar cercada de abundância: filhos saudáveis, um jardim malcuidado, uma casa bagunçada e alegre? Será que vai ter uns quilos a mais acumulados na barriga, meia dúzia de fios de cabelo grisalhos rebeldes, arrepiados? Ou vai virar uma daquelas mulheres que sobrevivem à base de salada e estresse, com o corpo cheio de botox e água oxigenada, passando fome até se render, confinado numa eterna guerra contra si mesmo?

Meu Deus do céu, Kath. Sai dessa. Uma voz mais sensata dentro de sua cabeça, que inclusive lembra muito a voz de sua terapeuta na época da faculdade, questiona com delicadeza se toda essa angústia realmente tem a ver com Taylor e suas escolhas. Como muitas, muitas ex-namoradas deixaram claro, Kath é especialista em tomar questões alheias para si. Então talvez seja alguma outra coisa? Mas ela rejeita a explicação mais óbvia, que diria que ela ainda sente alguma coisa por Taylor. Ela não sabe como chamá-la — essa sensação de queda livre que ela tem toda vez que olha para Taylor, como se suas mãos tentassem agarrar o vazio —, mas acha que já passou da fase de chamar isso de amor.

E de repente anoitece, e elas estão sentadas num pátio de hotel iluminado por cordões de luzinhas. Logo ao lado, uma piscina infinita se derrama no horizonte, criando a ilusão de que você poderia tropeçar em uma cachoeira e cair direto na noite luminosa de Los Angeles. As mulheres do casamento a essa altura passaram oito horas juntas, e eis que isso — parabéns, organizadora da festa! — é tempo demais. Todas estão com o rosto esticado e dolorido de tanto sorrir e, como começaram muito cedo, embora já estejam se sentindo um lixo, precisam continuar mandando ver nos drinques para tentar manter a ressaca crescente sob controle. As mulheres que não se conhecem já gastaram toda a conversa fiada; as mulheres que se encontram o tempo todo não têm mais nada a dizer. Em dado momento da tarde, Taylor começou a trocar mensagens com Ryan, e Kath já sabe, só de vê-la agarrar o celular e depois jogá-lo longe, que eles começaram a brigar.

O combinado era que Jared chegaria às oito da noite, mas ele está mais de uma hora atrasado; ficou preso no trânsito, mandando uma avalanche de desculpas que contêm atualizações muito específicas e incompreensíveis sobre a saída da rodovia de Los Angeles que ele acabou de perder. A maioria das convidadas já terminou de comer e algumas começaram a falar em ir para casa (*Nossa, tô acabada, depois que comecei a fazer um curso bem cedo eu vou pra cama, tipo, nove da noite*). Kath tenta segurá-las dando dicas sobre a surpresa que está por vir, mas todas as pistas fazem parecer que vai ser um go-go boy. Quando Jared envia uma mensagem dizendo que finalmente conseguiu estacionar e está chegando, Kath põe as mãos acima dos olhos e examina o público, mas ele entra por uma porta que ela não esperava, e por isso é Lizzie quem o vê primeiro.

Cortando o assunto no meio, ela aperta os olhos. "Aquele cara...", ela diz. "Parece que conheço de algum lugar." Ela cutuca Taylor, que está ocupada digitando no celular. "A gente conhece aquele cara? Será que ele é famoso?" Mas Taylor não levanta a cabeça na mesma hora, então é uma mulher aleatória, cujo nome Kath nem sabe, que dá um grito tão alto que chama a atenção de Jared: "Ai, meu Deus! Meninas, é aquele cara! Daquele filme que passava na TV! Como era que chamava... Vocês lembram? O Garoto na Piscina!".

O caos se instala na mesa: um terço das mulheres reconhecem Jared, sabem exatamente quem ele é.

Eu era louca por aquele filme!

Eu achava que só eu lembrava daquilo!

Ele ainda é um gato!

Eu era tão apaixonada por ele!

Jared balança a cabeça como um cavalo assustado e parece prestes a sair correndo. Kath se levanta, acena com o braço e faz um sinal para ele. "Jared", ela diz. "Que *incrível* que você conseguiu chegar. Vem cá." Uma empolgação borbulhante se espalha entre as mulheres. Jared, como um cordeiro indo para o abate, vai aonde é chamado.

Lizzie pergunta: "Foi você que fez isso? Ele veio por nossa causa?".

"Ele veio por causa da Taylor", Kath diz. Que lugar maravilhoso a vida adulta se revelou ser: com o poder das mídias sociais e mil dólares, ela invocou o sonho amoroso de Taylor, que veio de uma fita VHS pré-histórica direto pra cá, para a vida real.

Kath pega um Jared arisco pela mão, vira para Taylor e mostra seu presente: "Jared, quero te apresentar para a Taylor. Ela é sua fã há muito tempo".

Taylor não parece estar *tão* impressionada quanto Kath acha que devia estar, considerando que a amiga acabou de transformar todos os seus sonhos adolescentes em realidade. Ela estende a mão para Jared, mas ele, captando o olhar fixo de Kath, se aproxima para dar um abraço. Enquanto eles se abraçam, Kath observa atentamente em busca de um mínimo tremor, uma rachadura na postura recatada de Taylor. Será que ela se estende um pouco mais, apoiando a mão nas costas dele? Será que encostou a cabeça em seu pescoço de propósito, para sentir o cheiro? Talvez. Talvez não.

Taylor dá um passo para trás. "Que bacana que você veio", ela diz, uma anfitriã adulta, não uma garota ofegante. "Mil desculpas... Eu sei exatamente quem você é, mas como é o seu nome mesmo?"

Jared se apresenta com uma pequena reverência, despertando uma onda de risadinhas na mesa. "Quer dizer", ele diz, "que você vai se casar?"

Num gesto ensaiado, ela mostra a aliança. "Vou."

Taylor diz: "Imagino que a Kath tenha contado, mas você era meio que o ídolo das nossas festas do pijama quando a gente era criança".

"Não", Jared diz. Ele mostra os dentes para Kath. "Ela não comentou, por incrível que pareça", ele diz, e todos dão sorrisos amarelos, até que finalmente Lizzie intervém.

"Jared! E o que você anda aprontando? Ainda trabalha como ator, ou...?"

Jared desembesta a falar sobre *PaiZoação*, oferecendo uma explicação rebuscada. Taylor olha para Kath e levanta a sobrancelha. *Eu não acredito*, Taylor balbucia, e Kath encolhe os ombros de um jeito exagerado.

"Jared", Kath diz, tentando animar a festa. "Posso pedir um drinque pra você?"

"Não, obrigado", Jared diz alegremente. "Eu não bebo."

"Jared!", uma das mulheres interrompe. "Conta pra gente como foi fazer *Segredos de sangue*. Como você arranjou aquele papel?"

"É uma história engraçada, pra falar a verdade...", Jared diz, e todas as mulheres da mesa se inclinam na direção dele, flores sob o sol. Apesar de toda aquela vontade de ser levado a sério, fica claro para Kath que essa não é a primeira vez que ele sai para jantar às custas de uma fantasia de vinte anos antes. Ele é um cortesão habilidoso: atencioso, charmoso, com uma capacidade assombrosa de driblar qualquer cantada em velocidade ninja. As mulheres tentam flertar com ele milhares de vezes, e milhares de vezes ele se esquiva e volta a falar de *PaiZoação*, até que Kath começa a sentir que virou guerra: a missão dela é guiar a noite rumo ao sexo, ao risco, à emoção... enquanto ele, muito educadamente, tenta levá-las à morte só com a lábia.

Trinta minutos se passam, depois uma hora, depois uma hora e vinte e cinco. As mulheres parecem estar se divertindo de forma moderada, cobrindo o convidado de perguntas, mas Kath quer arrancar um pedaço de vidro de sua taça e sentir o caco se quebrar, crocante, entre os dentes. Ela pagou mil *fucking* dólares por esse encontrinho?

"Jared", ela diz, percebendo que está bêbada graças à repentina rouquidão em sua voz. "Tive uma ideia. Quer ir nadar?"

"Haha!", ele diz. "Tá um pouquinho frio pra nadar, você não acha?"

"Eu não acho", Kath diz. "A Lizzie, a Taylor e eu crescemos em Massachusetts. A gente já nadou em dias bem mais frios que isso."

Ela olha para as outras duas em busca de apoio. Taylor ignora, mas Lizzie mostra a que veio com um sorriso malvado. "Nadar pode ser legal", ela diz. Pega Taylor pela mão. "Lembra daquela vez que a gente matou a aula de francês no último ano e foi nadar no lago?"

Taylor levanta a cabeça, ainda digitando no celular. "E voltamos completamente encharcadas pra escola."

"E o prof. Swan falou tipo 'Por que vocês duas estão ensopadas?'. E a gente respondeu 'Porque a gente precisou tomar banho depois da educação física!'"

Kath só sabe dessa história graças à insistência de Lizzie em repeti-la toda vez — é uma das poucas que só envolveram ela e Taylor —, mas está disposta a tudo para salvar a noite do marasmo, então lança um sorriso de apoio a Lizzie.

"Vai. Vamos. Vamos nadar", Lizzie diz, e as outras mulheres se deixam contagiar por sua empolgação. Quando Taylor diz "não sei...", elas insistem em coro, batendo de leve os punhos na mesa, "Taylor! Taylor!", até que ela finalmente concorda.

As mulheres vão saltitando meio zonzas até a piscina, largando sapatos e bolsas pelo caminho, mas Jared continua sentado, com os braços cruzados na altura do peito.

Kath chega perto dele: "Você não vem?".

"Ah, não", ele diz. "Fica pra próxima."

Ele a odeia por colocá-lo nessa situação, é óbvio, mas e daí? Ela também o odeia. Ele é um para-raios, só isso, que atrai uma espécie de energia caótica e louca; é o alvo do desejo, não a fonte.

"Ah, vai, entra na piscina", ela diz.

"Não, obrigado. Eu não trouxe meu calção."

"Ei", ela diz, chegando mais perto. "Eu te paguei um bom dinheiro para você vir, então que tal você parar de frescura e ir nadar com a minha amiga?"

Jared faz uma careta e fica olhando para a frente, e não olha para ela, e ela se pergunta se, por baixo da rigidez e da chatice e da arrogância, ele sente vergonha. "Por favor", ela diz. "Ia significar tanto para a Taylor..." Mas, como ele não responde, ela completa: "Eu pago mais um pouco".

"Duzentos", ele diz, de um jeito soturno.

"Combinado. Mas essa meia hora tem que valer a pena."

E num movimento tão fluido que ela não consegue deixar de pensar que lá no fundo ele sabia exatamente o rumo que a noite ia tomar, ele chuta os sapatos e anda em direção à piscina, tirando a camisa no caminho. "*Senhoritas*", ele diz, com uma voz melosa e autoirônica. As convidadas estão reunidas na beira da piscina, ainda sem coragem de entrar. Jared joga a camisa amassada num canto e fica de pé, com as pernas abertas, na frente de Taylor. "Por mais que eu queira acreditar que vocês todas estão loucas para saber mais sobre a minha websérie, sua amiga fez a gentileza de lembrar que fui convidado por um motivo", Jared diz. "Quem quer entrar na piscina comigo?" Rebolando, ele desafivela o cinto, tira do passador da calça e gira em volta da cabeça.

As convidadas fazem ais e uis, mas Kath se encolhe, furiosa. Ele vai fazer exatamente o que ela mais temia, o que ela tentou evitar indo atrás dele: vai transformar a si mesmo numa piada e vai levar Taylor junto. Ele tira a calça jeans se chacoalhando todo, dançando uma música imaginária, esfregando as mãos nas coxas, enquanto Taylor assiste à cena sentindo vergonha alheia, como o alvo relutante de uma equipe de garçons cantando "Parabéns para você" em um restaurante temático. Vai se foder, Jared Nicolas Thompson, Kath pensa. Vai se foder na casa do caralho.

Agora a calça do Jared ficou embolada na altura do tornozelo, e ele está só de cueca, ainda dançando igual a um bobo. Mas pelo menos ele é o que todas esperavam: magro, lisinho, macio. Apesar de todos os esforços para parecer ridículo, ele é lindo, e, enquanto nota isso, Kath percebe que Taylor nota a mesma coisa — não por meio de nenhuma mudança óbvia em sua expressão, mas graças a uma espécie de amolecimento nos cantinhos do rosto.

Jared estala as costas e se alonga, exibindo os tufos gêmeos de cabelo escuro debaixo dos braços, e Taylor ergue o braço e arranca o elástico do rabo de cavalo, soltando o cabelo. Aí, sem aviso prévio, Jared agacha e mergulha na piscina, desengonçado, encharcando as mulheres mais próximas. Uma mulher pega o celular e começa a tirar fotos. "Qual era a hashtag do casamento, mesmo?", ela fala baixinho, mas ninguém responde.

O garoto na piscina faz o nado borboleta igualzinho fazia no filme, vinte anos atrás. Seus braços golpeiam a água de um jeito pomposo, em perfeita sincronia, enquanto o resto do corpo pulsa numa onda firme que atravessa barriga, quadril e coxas. Cada vez que termina uma chegada, ele muda de direção com um impulso dramático, deixando para trás um rastro borbulhante. Não faria diferença se o cenário fosse um hotel sujinho, de madrugada, porque o barulho que ele faz batendo as pernas na água é a única coisa que todas conseguem ouvir. Ele completa três chegadas e finaliza a última totalmente submerso, o corpo transformado numa fita brilhante em movimento, tremulando no silêncio da piscina. Ele se aproxima de Taylor, que está sentada na borda com as pernas dobradas, e fica na água, esperando pacientemente ela se levantar. Com os olhos semicerrados, como se estivesse sonhando, ela tira a sandália e lhe mostra o pé. Ele pega aquele pé com as duas mãos e, em seguida, olhando de soslaio para Kath por apenas um segundo, enfia o dedão de Taylor inteiro na boca e chupa. Todas as mulheres respiram fundo em conjunto. Esquecido na mesa, um celular no silencioso brilha três vezes e logo escurece. Taylor tira o pé e o apoia delicadamente em cima do ombro dele, e o empurra com força para dentro da água. Ele escorrega, com as mãos espalmadas nas panturrilhas dela e, quando os segundos vão passando, embora saiba que é só brincadeira, uma performance paga, Kath não consegue deixar de imaginá-lo debaixo d'água, preso, se debatendo, esperando a permissão de Taylor para respirar. Enfim, com uma arfada trêmula, ele volta à superfície, com gotículas de água reluzindo como diamantes em seu cabelo. Ele olha para Taylor de baixo, e ela olha para ele de cima.

Ah, Kath pensa, *eu consegui. Eu dei o que ela queria. O que vai acontecer agora?*

Taylor dá risada. "Acho que tá bom por hoje", Taylor diz. Ela tira o pé da piscina, e é nesse momento que Kath chega por trás dela, a pega pelos ombros e a joga na água.

Não se machuque

Encontrei o livro enfiado no fundo de uma estante da biblioteca. Nem chegava a ser um livro, na verdade. Nada de capa, só um monte de páginas xerocadas e grampeadas. Nada de espaço para o cartão na parte de trás nem para aqueles códigos de barras. Enrolei, coloquei no bolso e passei reto pela bibliotecária. *Rebel rebel.*

Quando cheguei em casa, abri na primeira página e segui as instruções atentamente. Desenhei um círculo de giz no chão do porão, moí manjericão e amora na cozinha como se preparasse um drinque chique, depois completei com uma mecha queimada do meu cabelo e uma gota do meu sangue, recém-colhido da ponta do dedão com um alfinete. Não porque eu acreditasse que aquilo fosse realizar o desejo do meu coração — eu nem sabia se eu tinha uma coisa assim —, mas porque eu tinha lido livros o suficiente na vida para saber que, quando você encontra uma coleção de feitiços escondida no fundo da estante da biblioteca municipal, tem que tentar pelo menos um deles.

Para a minha decepção, mas não para minha surpresa, nada

aconteceu. Folheei o resto do livro, curiosa para ver o que mais eu poderia ter conjurado: fortuna, beleza, poder, amor. Era tudo meio redundante: vários desses itens poderiam entrar na categoria *desejo do coração*. Para falar a verdade, todo o conceito me parecia um pouco "new age" demais. Eu me levantei para ir embora. Se eu me apressasse, ainda conseguiria chegar ao bar a tempo do happy hour. Pensar em drinques tinha me deixado com sede, e o porão fedia a cabelo queimado.

Ele não estava lá, mas de repente apareceu. Tinha ralado os joelhos no concreto, as mãos esparramadas como se tivesse caído. Cabeça baixa. Tremendo igual a um cachorro que acabou de sair do banho.

Pelado.

Eu quase comecei a rir. Essa foi a parte do meu cérebro que voltou a funcionar primeiro, a parte que pensou: *Um homem pelado, que definição literal de desejo*. Depois o resto conseguiu acompanhar e eu tentei subir os degraus do porão, gritando, e tropecei e caí de cara na porta.

Enquanto eu soluçava e tateava a maçaneta da porta, ele se levantou. Oscilou. O tornozelo virou de um jeito que me deu agonia. Ele cambaleou, depois se endireitou de novo.

Ele levantou a cabeça e olhou para mim.

"Não se assuste", ele disse.

Só que ele falava com sotaque, talvez escocês ou irlandês, e a pronúncia soava como: "Não se machuque".*

Enfim consegui abrir a porta à força, e em seguida a bati e tranquei. Fugindo para a cozinha, peguei as duas maiores facas do cepo e fiquei agachada numa posição de defesa. Eu esperava que ele fosse atrás de mim, que tentasse arrombar a porta — que

* No original, o texto explora a semelhança entre as palavras "scared" (assustado) e "scarred" (que tem cicatrizes ou traumas). (N. T.)

era frágil —, mas trinta segundos se passaram e o porão continuou em silêncio.

Ainda com as facas a postos, alcancei minha bolsa e a derrubei com o cotovelo para fazer o celular escorregar pela mesa.

Eu poderia ligar para o 911 e nem ia precisar explicar.

"Tem um cara pelado na minha casa."

"Como ele entrou?"

"Não sei."

Eles viriam, sirenes a mil. Se quando chegassem ele tivesse desaparecido — se tudo aquilo tivesse sido alucinação —, eu poderia dizer que ele fugiu pela janela. Chamar a polícia era uma solução de baixo risco.

Mas.

Se a minha noção do absurdo era a primeira parte do cérebro a se recuperar do choque, e o medo a segunda, a curiosidade chegava atrasada em terceiro lugar.

Eu tinha feito *magia*.

Às vezes, nas histórias em que as pessoas entram em contato com o paranormal, elas reagem com horror quando a trama da realidade se rompe e só lhes resta a súbita certeza de que tudo em que um dia acreditaram era mentira. Olhando para o celular, eu tive essa exata sensação, só que ao contrário: não horror, mas uma alegria frenética e crescente. Era isso que todos aqueles livros prometiam. *Eu sabia*, pensei. *Eu sabia que o mundo era mais interessante e estava fingindo que não.*

Guardei o celular no bolso traseiro, verifiquei se sabia exatamente que botão apertar se precisasse fazer uma ligação de emergência e vesti minha jaqueta preta de couro, em parte para me aquecer, mas principalmente pelo valor psicológico. Com as facas a postos, desci a escada.

Ele ainda estava no meio do círculo, onde eu o tinha deixado.

Se eu descrevê-lo detalhando cabelo, cor de olhos e formato do rosto, o efeito não vai ser o mesmo, porque ele era a expressão, em carne e osso, dos meus desejos mais profundos, não dos seus. Você precisa imaginar o seu próprio homem pelado, e eu vou te dizer só uma coisa: ele era maior do que eu esperava, muito mais encorpado, e essa é apenas metade de uma piada suja. Ele não tinha nada de bonitinho, nem de afeminado. Nem nada de angelical. Então, se você começou a imaginar algo nesse sentido, comece de novo.

Eu sentei no degrau mais alto da escada e apontei a faca para ele.

"Não se mexa."

"Eu não consigo", ele disse. "Olha." Ele deu meio passo para a frente e caiu para trás, como se tivesse batido numa porta de vidro.

Pior que parecia verdade, mas, até onde eu sabia, o universo tinha me mandado um mímico ardiloso e pelado. Furei o ar com a faca de novo em sinal de aviso.

O livro de feitiços estava meio aberto no degrau abaixo na escada, e eu o peguei.

Passei os olhos pela página do feitiço mais uma vez, procurando pistas, mas só vi o título no alto, escrito numa fonte apagada e antiquada: Desejos do Coração.

"Quem é você?", perguntei.

Ele abriu a boca, depois fechou e abraçou a si mesmo. "Não sei", ele disse. "Eu não lembro."

"Não lembra o seu nome? Ou não lembra de nada?"

Ele balançou a cabeça. "Nada", ele disse de um jeito triste. "Nada mesmo."

"Você realiza desejos?"

"Não", ele disse, e aí a boca se curvou num sorrisinho jururu. "Não que eu saiba, pelo menos. Acho que a gente pode tentar."

"Eu queria um gato", eu disse. Deixei escapar. Eu estava tentando pensar numa coisa pequena e inofensiva, uma coisa que eu reconheceria na hora. "Não. Para. Retiro o que eu disse. Não quero um gato, isso não conta. Quero cem milhões de dólares. Em notas, não moedas. Em notas de cem dólares, quer dizer. Aqui na minha frente. Faça aparecer."

O homem olhou para mim com uma expressão levemente animada e, como não apareceu nem gato nem dinheiro, ele virou as mãos para cima e sorriu. "Desculpa", ele disse. "Eu não achei mesmo que fosse funcionar."

O sorriso dele fez uma onda de sangue subir pelo meu rosto, mas me forcei a não retribuir o sorriso. Era assim que eu reagia à beleza, tanto com mulheres quanto com homens: a princípio atraída, depois retraída. Dominada pelos meus próprios impulsos frívolos, depois irritada com o truque.

"Está um pouco frio aqui", ele disse com delicadeza. "Será que você poderia me dar um cobertor?"

"Vou pensar no seu caso", eu disse.

No andar de cima, na cozinha, fiquei andando de um lado para o outro, girando a faca na mão. Parte de mim pensava: tá bom, dá um cobertor pro cara pelado! Mas a outra parte resistia. Esse feitiço não era muito claro. Se aquilo não era magia negra, era ilusionismo, no mínimo. Porque se ele falasse: "Sou oncologista pediátrico, mas escrevo poesia nas horas vagas", tá, pode ser, desejo do coração. Mas do que me servia um cara bonito com amnésia? Fora que, tradicionalmente, círculos de giz costumam conter diabos e demônios, não possíveis namorados. Dar qualquer coisa a ele pode significar quebrar o círculo e libertá-lo. Se eu fizesse merda, talvez não tivesse outra chance de consertar. Antes de qualquer coisa, eu precisava dar mais uma olhada no livro de feitiços.

Ele ia ficar bem. Afinal de contas, o porão não era tão frio assim.

Quando desci a escada e voltei ao porão várias horas depois, meu hóspede — sentado no chão, agarrando as próprias pernas — estava bastante pálido. Havia uma pequena poça num dos cantos do círculo, e agora o porão não cheirava só a cabelo queimado, mas também a xixi.

Ops.

"Desculpa por ter te deixado esperando tanto tempo", eu disse. "Eu trouxe o cobertor pra você. E daqui a pouco vou lá em cima pegar uma garrafa de Gatorade, alguma coisa assim."

O homem levantou a cabeça e me olhou. "Escuta", ele disse. "Eu sei que você deve achar estranho, mas eu juro que pra mim é mais estranho ainda. Eu faço qualquer coisa que você me pedir, e não vou te machucar, eu prometo, mas, por favor, pelo menos tenta: se você conseguisse borrar um pouco este círculo, ou apagar ele inteiro, talvez eu pudesse sair e a gente pudesse ir lá pra cima conversar sobre tudo isso."

"É...", eu disse. "Não vou fazer isso. Desculpa, mas é que você pode ser um demônio ou algo do tipo, e eu não posso arriscar. Mas acho que eu arranjei um jeito de decifrar tudo isso. Vou te dar o cobertor, isso se eu conseguir atravessar o círculo. Quero que você pegue, mas depois quero que você deixe sua mão aí mesmo, bem no canto, onde eu possa alcançar. Não tente fazer nada. Entendeu?"

"Entendi", ele suspirou.

Joguei o cobertor para ele. Ele pegou, mantendo a mão esticada, como eu tinha mandado, e eu passei a lâmina da faca pelas costas de seu braço.

"Que porra é essa?", ele gritou. Quando pulou para trás, ele colidiu contra o outro lado do círculo de giz, batendo a cabeça, e foi uma cena impressionante, parecia que o ar vazio grudava nele enquanto ele escorregava pela barreira invisível. O corte foi mais fundo do que eu tinha planejado, e uma linha grossa e vermelha descia por seu antebraço. Ele ficou me olhando horrorizado, pressionando as costas contra o outro lado do círculo, como se pudesse conseguir atravessá-lo com um pouco de força.

"Me dá o seu braço de novo", eu disse.

"Sai fora", ele respondeu, cobrindo o braço com a outra mão.

Tirei um chumaço de gaze do bolso. "Preciso do seu sangue", eu disse. "Desculpa. Só preciso testar uma coisa. Assim que eu conseguir, deixo você sair na hora, eu prometo."

Ele *rosnou* de verdade para mim. "Sai de perto de mim, sua doida", ele disse.

Na manhã seguinte, desci com uma bandeja recheada de tudo de delicioso que o café ao lado de casa tinha a oferecer: uma caneca fumegante de café french roast, grosso de tanto creme e açúcar; um croissant amanteigado e crocante; um parfait de iogurte coberto de frutas vermelhas; um bagel de cebola fatiado coberto com uma grossa camada de cream cheese e fatias de salmão defumado. O porão estava fedendo ainda mais, mas mesmo assim o perfume da comida conseguiu se destacar.

Coloquei a bandeja no chão, afastando o olhar para não ver o pior da nojeira que havia dentro do círculo, e meu hóspede me olhou com ódio. Caso eu estivesse enganada sobre o funcionamento do livro de feitiços e o universo *de fato* tivesse tentado me enviar minha alma gêmea, eu com certeza já tinha estragado tudo.

Rangendo os dentes, ele estendeu o braço. O ferimento tinha fechado, era uma crosta preta.

"Me dá o outro braço", eu disse, pegando a faca de novo. Ele ficou me encarando com os lábios contraídos, e não se moveu.

Eu sei, eu sei, mas escuta: eu li errado. Desejos do Coração, impresso no alto da página, não era o nome do feitiço, e sim o nome do livro. Aquele primeiro feitiço não tinha nome, assim como o homem que eu tinha invocado. Mas o feitiço seguinte, Fortuna, continha, em sua longa lista de ingredientes, além de prata e zimbro, velas verdes e alecrim, não sangue, mas sangue do coração, escrito naquela mesma fonte desbotada. Eu mesma tinha testado o feitiço na noite anterior, fazendo outro furinho no dedão, e nada tinha acontecido. Era do sangue dele que eu precisava. Eu tinha que pegar o dele.

Apontei para a comida, que continuava fora de seu alcance. "Eu espero o tempo que for", eu disse.

Fiz o feitiço no porão, enquanto o homem no círculo engolia o café da manhã. Nenhum maço de dinheiro apareceu milagrosamente. Eu estava prestes a ligar para a polícia e pedir que viessem prender o sem-teto maluco que tinha invadido minha casa quando o celular tocou com a chamada de um número desconhecido.

Quando você herda uma fortuna, mas o parente que morreu é tão distante que você nem o conhece o suficiente para ficar de luto, a única coisa que consegue fazer é rir.

Dei a ele um travesseiro para acompanhar o cobertor, uma bermuda, um daqueles penicos de acampamento, água e comida boa à vontade, desde que ele colaborasse. "Por favor, não", ele dizia quando eu voltava, mas o que você faria no meu lugar?

Depois de uma semana, ele tentou roubar a faca de mim e me arrastar para dentro do círculo, mas estava atrasado: um dia antes eu tinha feito o feitiço de *força*.

Eu juro que o tratei muito bem, fiz o meu melhor. Parei de cortar seus braços; eu passava a faca o mais leve possível por suas costas e fazia um curativo logo depois. Os ferimentos cicatrizavam razoavelmente bem, ainda mais considerando a umidade do porão: não eram mais feridas feias e cascudas, só uma teia de linhas finas rosadas que esmaeciam lindamente até virarem prateadas.

Não era fácil, mesmo depois de várias semanas. Nunca ninguém tinha ficado com medo de mim, e toda vez que ele se encolhia ao me ver eu sentia que meu coração tinha emperrado num prego.

Só quando eu completasse o terceiro feitiço, *inteligência*, eu poderia preparar minha defesa. Sem nome, sem passado, um corpo feito sob medida para a minha luxúria... Até aquele sotaque cantado tinha saído lá do fundo dos meus sonhos. Eu não o tinha só chamado, eu o tinha *criado*. Portanto, como eu o tinha confeccionado com ervas e sangue e magia e desejo, ele não era muito real. Ele era mais uma parte do livro, como os feitiços em si ou a lista de ingredientes que os introduzia. Não uma pessoa, não de verdade, mas uma ideia trazida à vida pela ação da minha mente e das palavras no papel.

O dom da inteligência era ótimo. Eu devia ter conjurado esse antes, porque comecei a dormir bem melhor.

"Você está diferente", ele me disse certa manhã, e era verdade. Às vezes demorava algumas horas ou dias para que o feitiço revelasse o fio da meada, abrindo caminho e trazendo minha herança ou minha absurdamente rápida promoção a CEO. Mas outras vezes eu só acordava diferente: tinha sido assim com *força* e *inteligência* e agora com *beleza*.

"Sim", eu disse. Considerando que eu estava bastante convencida da irrealidade essencial daquele homem, foi uma surpresa ter gostado tanto do olhar que ele me lançou naquele momento — desejado tanto, desejado tê-lo. Agora que eu tinha uma beleza só minha e alguns truques só meus, eu podia baixar um pouco a guarda.

Comecei a passar cada vez mais tempo no porão. Ele não falava muito, mas pelo menos ouvia. Ambos estávamos solitários. Eu não podia falar com mais ninguém sobre todas as coisas surpreendentes que tinham passado a acontecer comigo, e, depois de tantos dias sozinho naquele círculo escuro e apertado, ele não podia evitar o anseio por minha companhia. Ou fingia muito bem.

Uma noite, bem tarde, mais do que um pouco bêbada, eu prometi a ele que, quando terminasse, quando o livro chegasse ao fim e não houvesse mais feitiços a fazer, eu o libertaria do círculo e dividiria tudo com ele. *Afinal de contas*, eu falei enrolando as palavras, *é tudo tão seu quanto meu*. Eu não era ingênua. Sabia que nunca ia poder confiar nele. Mas ele era tão adorável que eu não conseguia não desejá-lo, e agora eu estava acostumada a conquistar tudo que queria. É claro, eu sabia que ele não seria capaz de me perdoar. Não sem minha ajuda. Eu tentava não olhar muito para os feitiços seguintes — parecia um estranho desrespeito, como espiar as últimas páginas de um livro —, mas eu sabia que o nome do último era *amor*.

E aí um novo ingrediente aparecia na lista.

* * *

Àquela altura tínhamos estabelecido uma espécie de equilíbrio, então, quando eu descia com a faca, ele já virava as costas para mim. Eu o via e ficava enjoada. Seus músculos outrora perfeitos tinham amolecido e se tornado uma carne flácida e doente; sua pele era de um branco pastoso após tantos dias de cócoras no escuro. Eu via que, embora eu tivesse tomado cuidado, os cortes recentes ainda estavam abertos, vazando pelos curativos, e cada um dos ossos nodosos de suas costas projetava a própria sombra. A culpa me atingia em pontadas, e eu pensava em parar, em esfregar o chão até o círculo desaparecer, em libertá-lo. Eu nunca o desejara tanto quanto desejei daquele jeito, machucado e feio e precisando de mim. Além do mais: visto que eu já tinha tanta coisa — fortuna, sucesso, sorte, inteligência, força, beleza —, o que mais o *poder* poderia me trazer?

Virei a ponta da faca na palma da minha mão, dividida. Estávamos só na metade do livro.

"Desculpa", eu disse, girando a faca, girando até minha mão queimar e sangrar. "Hoje temos que fazer algo diferente."

Um feitiço, depois outro, depois mais outro. A cada noite ficava mais difícil arrancar as lágrimas dele. Eu gritava, eu implorava, eu suplicava, eu mesma chorava. Cheguei até a dizer, num momento de fraqueza: *Você não percebe que estou fazendo isso por nós dois?* Mas eu também fui ficando mais criativa, e não só com a faca. Ele chorava de dor, chorava de medo, chorava de solidão, chorava de exaustão e de confusão. E chorava por mim. Algumas noites, eu me enfiava com ele no círculo e o abraçava enquanto ele soluçava, e eu sussurrava que tudo ia ser diferente quando enfim ficássemos juntos, quando tudo isso terminasse.

Um ano se passou. Ele chorava, eu guardava todas as gotas salgadas, e o mundo se abria como um ovo aos meus pés. Eu não só tinha tudo que queria ou que imaginei querer; eu tinha tudo que era possível querer. Eu inventava novas necessidades só para satisfazê-las.

No dia em que cheguei à última página do livro, reuni todos os outros ingredientes e os levei para o porão: ervas da feira, bugigangas do bazar.

Ele estava no chão em posição fetal, imóvel, pálido e quieto, e, quando o vi, deixei escapar um chorinho. Ele abriu os olhos trêmulos.

"Shhhhhh", eu disse, sorrindo. Estiquei a mão para dentro do círculo e acariciei seu braço. Não havia parte do corpo dele que não estivesse coberta por um jogo da velha de cicatrizes prateadas brilhantes. Eu me perguntava se todas seriam apagadas por aquele último feitiço, se ele viria a mim com a pele lisa, novinho em folha.

"Meu amor, meu amor", eu murmurei.

Ele não articulava palavras coerentes havia meses, só grunhia e se retorcia, e eu apertava seus ombros com carinho, fazia cafuné no que restava de seu cabelo.

Abri o livro na última página, dobrando as folhas. Íamos queimar o livro juntos, ele e eu, assim que os feitiços acabassem. Meu amor trazido de volta, renascido e íntegro.

Só que... peraí.

Não. Ah, não.

Diante dos meus olhos, o feitiço ficou embaçado e se transformou. Exigiu outra coisa de mim. Dele. Eu poderia ter chorado, mas, pelo contrário, eu ri. Eu ri e ri e ri. E não é que sempre acaba assim? Você não pode ter tudo o que seu coração deseja, porque então qual seria a moral da história?

Olhei de novo para o feitiço, desejando que ele se reordenasse, mas não deu certo.

Então eu entrei no círculo e o arrastei para fora. Lembrei que, um ano antes, eu gritava e tentava fugir. Ele era tão alto, tão assustador. Agora eu tinha *força*, e ele não pesava quase nada. Eu desdobrei seus membros, tirei sua camiseta esfarrapada. Peguei minha faca, passei pelo peito dele. Me debrucei para beijar seus lábios secos e rachados e posicionei a ponta da lâmina no esterno. Eu ia encontrar algum outro amor, o verdadeiro desejo do meu coração. Era o que o livro prometia.

"Não se assuste", eu sussurrei.

sangue do coração
lágrimas do coração
coração

O sinal da caixa de fósforos

Isto, antes de mais nada...

Laura, estudando num bar em Red Hook durante o dia. Uma pilha de livros da biblioteca ao alcance das mãos, um lápis perfurando o coque emaranhado de cabelo preto. Jeans puído, blusa desbotada e um batom vermelho-escuro que para David, que a observa do outro lado do salão, parece ao mesmo tempo sensual e completamente deslocado. Ela arranca o lápis para grifar uma página e, ao fazer isso, derruba a cerveja com o cotovelo; para salvar os livros, ela se deixa encharcar do joelho à coxa. Naquela noite, enquanto David limpa as marcas no próprio queixo, Laura vai afirmar que o batom é uma estratégia: passe batom vermelho logo que acordar de manhã, ela dirá, e você pode estar completamente desgrenhada — roupa manchada, lápis de olho borrado, cabelo oleoso — que as pessoas vão pensar que você é glamorosa e não desleixada. Mas a verdade é que Laura é tanto glamorosa quanto desleixada; seu desleixo é glamour, não há contradição aí. E, David pensa, a decisão de combater sebo com batom é com certeza uma filosofia de estilo que só faz sentido quando adotada por alguém jovem e muito bonita; um tipo de garota que é luminosa naturalmente, em quem até a sujeira e as roupas feias podem servir de ostentação: *viu, nem isso me prejudica.*

Seis meses se passam e, embora eles digam eu te amo e façam coisas normais de casal, como reclamar dos amigos e bater boca sobre o horário do brunch, ainda há uma parte de David que espera que Laura um dia olhe para sua cara, leve um susto e diga: *Peraí, é brincadeira, né? Quem diabos é você?*

Aí, um dia, ela chega uma hora atrasada para jantar. Em vez de anunciar o término que ele sempre suspeita que está próximo, ela declara que abandonou seu projeto da pós-graduação; ela quer que ele aceite aquela oferta de emprego sobre a qual anda indeciso para que possam se mudar para outro estado, "ver o que rola na Califórnia", começar do zero.

Será que David quer pedir demissão e mudar pra Califórnia? O súbito interesse de Laura por essa nova vida que imaginou para os dois é tão impressionante que ele sinceramente não sabe responder. Mas, naquela noite, Laura escova os dentes com a mesma energia inconsequente que coloca em tudo que faz e, quando cospe na pia, a espuma branca sai salpicada de grumos pegajosos de vermelho. Ela se debruça na frente do espelho e faz uma careta para o próprio reflexo, fascinada, mostrando os dentes num rosnado sanguinolento. Depois de tudo o que vem em seguida, David voltará a essa memória como se fosse um presságio: Laura, arrebatada na frente de um espelho, maravilhada ao ver o próprio sangue.

Um ano depois, Laura avança em David assim que ele entra pela porta.

"Olha isso", ela exige, antes mesmo que ele consiga tirar a alça da pasta do trabalho dos ombros. "Olha o meu braço. Alguma coisa me picou."

David pega seu pulso com cuidado e ela oferece a parte de baixo do braço, a pele macia e empolada, para sua inspeção. "Caralho", ele diz. "O que é isso? Percevejo?" Boatos de infestações de percevejos têm se espalhado pela vizinhança onde vivem em San Francisco, mas parece impossível que criaturas tão tímidas e noturnas possam sobreviver no apartamento reluzente de aço e vidro.

"Não", Laura diz. "Percevejo é um bicho pequeno e vermelho que anda em grupos. Isto aqui não é percevejo."

Para analisar a picada, ele precisa se aproximar do braço dela mais do que gostaria — só de pensar na coceira ele sente vontade de se coçar —, mas consegue ver um vergão branco e inchado de cinco centímetros, instalado na parte de dentro do cotovelo. Está coberto de linhas rosadas que marcam os movimentos que ela fez ao se coçar. É muito grande para ser uma picada de mosquito. "Uma aranha, quem sabe?", ele pergunta.

"Quem sabe..."

"De qualquer forma, não põe a mão." Ele dá esse conselho tanto por si quanto por ela: ele odeia aquele barulho de unha contra a pele. Lembra o esguicho nauseante de alguém mascando chiclete, ou um escarro que vem do fundo da garganta.

Laura se joga de novo no sofá, esticando o braço o máximo que consegue, como se tentasse fugir da tentação. David sabe que sua determinação vai durar no máximo cinco minutos, a não ser que ele a ajude.

Enquanto passa loção de calamina no braço dela, massageando a pele, ele pergunta: "Como foi o seu dia de folga?".

Ela diz: "Muita coceira. Fora isso, nada de mais".

"Conseguiu separar um tempo para...?"

Eles vêm rodeando esse assunto pelo que parece uma eternidade. Laura, que teve dificuldade para arranjar trabalho quando chegaram à Califórnia, agora tem andado furiosamente insatisfeita com seu emprego de assistente do dono tirano de uma galeria de arte da cidade — mas também (ou é o que parece para David) não consegue resistir ao clima de drama e conflito da galeria. Ela detesta quando David insinua que ela poderia ser mais feliz em outro lugar, e o acusa de perseguição se ele sugere que ela devia procurar outro emprego.

Como é de esperar, ela não o deixa nem terminar a frase. Ela puxa o braço para longe dele, espirrando um arco de loção cor-de-rosa no sofá.

"Você não consegue parar de me alfinetar, né?", ela diz. "Você não me deixa em paz."

Três dias. Três novas picadas. Laura fica ainda mais irritada, sensível à mínima provocação. Quando a terceira picada aparece no rosto, brotando da curva firme do osso da bochecha, ela coça tanto que o olho incha e se fecha.

"Você devia ir ao médico", David diz durante o café da manhã na sexta, incapaz de encará-la. O olho inchado faz parecer que ela está dando uma piscadela pra ele.

"Não dá", ela diz. "Meu plano de saúde não cobre."

"Laura. Por favor."

"Tem uma clínica de graça na rua Langford. Marquei uma consulta para segunda. Pronto."

Uma clínica de graça, sendo que da última vez que saíram para jantar tinham gastado duzentos dólares só no vinho. Testemunhar a potência da autopunição de Laura pode ser um choque visceral; é como observar alguém esmagando os dedos na porta por vontade própria. Mas ele se recusa a devolver a provocação e faz o contrário: "Se eu conseguir tirar a tarde de folga, quer que eu vá com você?".

Ela lança um sorriso brilhante. "David, que coisa mais gentil. Claro."

Só depois de passar as quarenta e oito horas do fim de semana em casa com Laura é que David percebe que ela cedeu completamente à guerra contra sua pele. O número de picadas triplicou da noite para o dia; agora ela planeja sua rotina de acordo com os esforços para amenizar a coceira implacável, sempre tentando não se coçar. Um banho de imersão em bicarbonato de sódio pela manhã, depois uma esfoliação com manjericão e babosa. Ela corta as unhas obsessivamente, lava os lençóis várias vezes, faz curativos caprichados e arranca tudo em seguida. O resto do tempo é dedicado a pesquisas na internet, à reformulação frenética de palavras-chave: *pele nódulo picada coceira; picada coçando pele solução; picadas braços barriga rosto*, além da análise detalhada de uma sucessão de imagens terríveis, aflitivas, e da escavação minuciosa de fóruns on-line repletos de outras vítimas: milhares de tópicos intermináveis, lamuriosos, infrutíferos.

David fica de quatro e rasteja pelo apartamento à procura dos culpados — moscas ou larvas, pulgas ou ácaros —, mas termina de mãos vazias. Dez minutos na internet fazendo a própria pesquisa oferecem tantas possibilidades que ele conclui que essas pesquisas não são apenas inúteis; coceira é um sintoma tão comum que acaba dificultando o diagnóstico. "Eu acho de verdade que você precisa consultar alguém que não seja o dr. Google", ele diz.

Laura crava as unhas na marca do braço, que agora é uma cratera brilhante com as bordas amarelas, como uma queimadura de cigarro. "Me faz um favor", ela diz sem parar de coçar. "Para de tentar ajudar, tá? Você só está piorando as coisas."

No domingo à noite, ele acorda e vê que o outro lado da cama está vazio. David vai até a sala e a encontra no sofá, rodeada de lenços amassados, cada um tingido por um pequenino botão de sangue. "Não consigo dormir", ela choraminga. "Parece que tem uma coisa *andando* dentro da minha pele."

David nunca a viu tão abalada. Ele a beija no alto da cabeça, coloca um cobertor sobre seus ombros e prepara uma xícara de chá, e os dois ficam acordados juntos até o sol nascer, e depois ele a ajuda a tomar banho e se vestir.

A sala de espera da clínica está lotada de gente doente, e o ar em si parece grudento, carregado de doença. Eles esperam mais de uma hora além do horário marcado e, quando a enfermeira finalmente chama Laura pelo nome, ela levanta a cabeça e insiste em entrar sozinha.

Ela volta menos de quinze minutos depois, trazendo uma folha fina de papel amarelo e um olhar incrédulo. "Ela me indicou uns *antialérgicos* vendidos sem receita médica", ela diz, sem diminuir a velocidade quando passa por ele a caminho da saída. "Ela me disse para não *coçar*."

"Ela não tinha nenhuma ideia do que pode ser a causa?"

"Ela não sabia merda nenhuma."

Por um instante eles ficam unidos por uma indignação compartilhada, mas logo depois essa aliança temporária desmorona. Mais uma ferida apareceu no alto da cabeça de Laura, e ela coçou tanto que ficou sem cabelos num pequeno círculo do tamanho de uma moeda. A pele ficou grossa e ressecada, rodeada de caspa. "Tem certeza que você não tem nenhuma picada?", ela pergunta. "Nem aquelas pequenas? Não faz o menor sentido. A gente divide tudo. Por que eles me atacariam e não atacariam você?"

Durante a última semana, ele sentiu mil vezes o início de

uma coceira fantasma rastejando na pele, mas esfregou o dedo em riste e não coçou, e a coceira voltou para a dimensão fantasmagórica de onde tinha vindo.

"Não sei", ele disse. "Desculpa, amor."

"Por que você está pedindo desculpa?", ela dispara. "Por acaso isso é culpa sua?"

"É que... eu quero que você saiba que estamos juntos nessa."

"Ah, claro", ela diz, assoando o nariz num lenço manchado de sangue. "Eu sei."

Na terça David sai para trabalhar como de costume, gastando horas nas mesmas pesquisas do Google que dois dias antes ele tinha achado uma perda de tempo. Ele volta para casa e dá de cara com Laura examinando o braço com uma lupa, usando um cotonete para escavar o pequeno ferimento. Ela praticamente não olha para ele, tamanha sua concentração na caçada. "Tem alguma coisa *ali*. Eu estou vendo. É tipo... uma... gosminha... branca."

Ele chega perto e a olha de cima, horrorizado. "O que você está fazendo?"

Ela enfia o cotonete na bolha, e o sangue espuma ao redor do algodão. Ela levanta a ponta, triunfante. "Olha!", ela grita. "Tá vendo?"

Bem na ponta do algodão encharcado de sangue, ele acha que talvez esteja conseguindo ver um pontinho minúsculo, claro e brilhante. Apertando os olhos, ele tenta reconhecer a forma: um inseto? Um ovo? Uma bolinha de pelo?

Laura examina o cotonete. "Meu Deus. Ainda está se *mexendo*. Sabe de uma coisa? Eu vi isso na internet. Chama berne. As moscas colocam ovos em você, se você estiver com um corte pequeno ou uma queimadura, acho, e aí os ovos viram larvas que cavam túneis debaixo da pele. Ou também podem ser aqueles vermes que você pega nadando na água contaminada... de qualquer forma é algum tipo de parasita. É por isso que você está bem e que nós não conseguimos achar nada. Não estava no apartamento. Estava escondido em mim esse tempo todo."

"Que nojo."

"Eu sei!", ela diz, mas não parece estar com nojo, parece estar aliviada. David consegue entender — finalmente ela encontrou uma espécie de resposta —, mas não consegue compartilhar do alívio, porque mesmo olhando pela lupa ele não vê nada além de um pontinho branco.

Laura tira da própria pele mais quatro amostras daquele espécime misterioso e guarda todas num saquinho plástico que coloca na geladeira, ao lado do suco de laranja. Ainda insistindo que não pode pagar uma consulta médica, ela volta do mercado com uma variedade fedorenta de ingredientes pseudomedicinais: óleo de coco, alho, vinagre de cidra de maçã. Ela separa doses desse remédio caseiro com colheradas cuidadosas, se recusando a comer ou beber qualquer outra coisa. Os parasitas se alimentam de açúcar, ela diz a David. A missão dessa dieta é matá-los de fome.

David não acredita em nada disso, nem no diagnóstico nem na cura — mas pelo menos os olhos dela estão mais vivos, ela está um pouco mais alegre, e as feridas mais feias começaram a desbotar. Eles até conseguem manter uma ou outra conversa calma e curta sobre um assunto que não seja a pele de Laura. Talvez, ele pensa, tudo isso vai passar sem que ele chegue a compreender o que aconteceu, um pequeno redemoinho de tristeza numa fase que já era suficientemente difícil.

Mas aí ele acorda com o barulho de alguma coisa arranhando. Ele estende o braço para tirar a mão de Laura do rosto e seus dedos voltam escorregadios e molhados. Ele acende a luz e leva um susto; dormindo, Laura arrancou a casca da ferida debaixo do olho, e o lado esquerdo de seu rosto está coberto por uma máscara de sangue brilhante e vermelha.

A briga que se segue dura horas; quando o sol nasce no meio dela, David liga para o trabalho e diz que está doente. Laura grita por tanto tempo que fica sem voz. David dá um soco na parede.

A briga começa, quem diria, por causa de uma planilha. David tinha feito a planilha quando se mudaram para San Francisco. O nome é *David e Laura Moram Juntos* e reúne todas as despesas compartilhadas por ambos: aluguel, carro, alimentação e viagens. Eles dividem esses custos todos os meses, de forma proporcional ao que cada um ganha. David, que é engenheiro, ganha mais do que Laura, que ainda não foi tecnicamente efetivada no emprego. Portanto Laura paga dezoito por cento das despesas compartilhadas, e ele fica responsável pelos oitenta e dois por cento restantes.

Limpando o caos do rosto de Laura, David diz: "Você precisa ir ao médico".

"Eu não tenho dinheiro para isso."

"Bom, a gente pode colocar na planilha", David diz.

Laura revira os olhos.

"O que foi?"

"Nada. É que às vezes fico de saco cheio dessas coisas."

"Desculpe, eu estava tentando ajudar. Você pode me dizer o que eu fiz de errado?"

"Deixa eu te perguntar uma coisa", diz Laura. "Quando eu morrer, você vai colocar oitenta e dois por cento das despesas do meu enterro na sua planilha e mandar o resto do valor num boleto para os meus parentes?"

David diz: "Você está literalmente coberta de sangue e mesmo assim prefere me atacar a pedir ajuda!".

E aí Laura diz: "Quer saber, David?", e eles não param mais.

"Pessoas que se amam cuidam uma da outra", Laura berra quando a briga chega ao auge. "Não ficam contando cada moeda que gastam juntas numa merda de uma *planilha*. Não é assim que funciona!"

"Tá, mas e daí?", David grita de volta. "Você quer que eu arque com todas as despesas pra você poder continuar naquele seu emprego bosta, que você odeia?"

"É desse jeito que você vê a nossa vida? Agora eu entendi por que você tem tanta raiva de mim, se é isso que você sente!"

"Eu não sinto coisa nenhuma! Só não acho errado pedir para você contribuir de alguma forma com…"

"Ah, claro. Você não sente coisa nenhuma. Que postura imparcial, David, obrigada."

"É claro que eu sinto, só que…"

"O seu problema", Laura diz, "é que você não se dedica de verdade a esse relacionamento. Você está sempre com o pé atrás, você…"

"Ah, por *favor*. Eu me dedico…"

"Claro que você se dedica! Você dedica exatamente oitenta e dois por cento! Como eu fui esquecer? Você paga e controla cada centavo."

"Eu não posso mais controlar o meu dinheiro?"

Ela sacode a cabeça furiosamente, como se o gesto ajudasse a tirar as palavras de sua boca. "Não é disso que a gente está falando. A gente está falando de… de saber amar uma pessoa!"

As palavras ecoam no ar até que David repete o que ela disse. "Você está me dizendo que eu não sei *amar uma pessoa*?"

"Não", Laura diz, empinando o queixo como uma criança teimosa. "Não sabe."

É aí que acontece, aquele momentinho de graça que pode

surgir, do nada, para marcar o fim de uma briga. A cara feia de Laura oscila um pouco. Ela vê que está sendo ridícula. E ele vê que ela vê.

"Engraçado", ele diz, num tom de voz mais baixo. "Porque eu tive a clara impressão de que amei você esse tempo todo."

"Bom", ela diz, entrando no modo performance de forma quase imperceptível. "Você fez um péssimo trabalho."

"Sério?"

"Geralmente sim."

"Até no seu aniversário?"

"Acho que no meu aniversário você foi razoável."

"Então o que é que eu preciso fazer? Me diz. Estou perguntando sinceramente."

"Você não precisa *fazer* nada. Você só precisa dizer 'Laura, eu te amo. Vai ficar tudo bem'."

"Laura", ele diz, pegando as mãos dela. "Eu te amo. Vai ficar tudo bem."

Enquanto Laura tira um cochilo entrecortado no sofá, David marca uma consulta com seu clínico geral. Ele diz à secretária que se trata de uma emergência, e ela consegue um encaixe no mesmo dia, à tarde. Quando Laura acorda, ele conta que marcou a consulta. Antes que ela possa se opor, ele diz: "Por favor, me deixa fazer isso, tá?".

O médico é um homem idoso com dois chumaços de pelos saltando dos ouvidos e, quando David envolve Laura com o braço e pergunta se pode acompanhá-la na sala, o doutor não se opõe.

O dr. Lansing demonstra preocupação ao olhar a bochecha cortada de Laura e pede que ela mostre todas as feridas. Ela exibe uma por uma, e ele faz perguntas gentis e certeiras que ela responde da melhor forma que consegue. Quando termina, ela tira o saquinho plástico de dentro da bolsa e conta sua teoria sobre o berne e sobre as provas que reuniu.

Uma coisa estranha acontece nesse momento: o rosto do médico se esvazia; é como se sua curiosidade secasse completamente. Ele aceita o saquinho, inspecionando seu conteúdo sem muita atenção, e depois o coloca na mesa, meio dobrado.

"Sem considerar a coceira, como você tem se sentido?", o dr. Lansing pergunta.

Laura encolhe os ombros e diz: "Tudo certo".

David fica em silêncio diante dessa mentira óbvia. O dr. Lansing insiste: "Como foram os seus últimos meses, no aspecto emocional?".

Laura encolhe os ombros de novo. "Tudo bem, eu acho."

"Você tem dormido bem?"

"Não consigo dormir direito porque sinto coceira o tempo todo", Laura diz, e ao mesmo tempo David diz: "Laura! Por favor!".

Laura e o dr. Lansing viram para ele, surpresos, e, apesar do olhar de aviso que Laura lança em sua direção, David continua. "Não sei, eu não estou tentando... A coceira anda muito ruim, eu sei. Mas você não lembra, linda, que você já não estava conseguindo dormir antes disso, por causa do estresse do trabalho, você disse... E, não sei, estou errado se eu disser que desde a mudança as coisas têm sido bem difíceis?"

Ele fica esperando que Laura pegue o fio da meada e continue a história, mas ela não continua, então ele conta tudo para o dr. Lansing, relembrando cada detalhe com tanto desespero e confusão que parece que é sua própria história, e em parte ele sente que é. Quando termina, ele olha para Laura, e ela faz cara de quem foi traída.

Só aí ele percebe a gravidade do que acabou de fazer: tentando ajudar, ele expôs todas as fraquezas dela sem pedir permissão; usou seus segredos para provar para um estranho que a dor só existia na cabeça dela.

O médico diz: "Laura, o que eu gostaria de fazer, se você me permitir, é receitar um medicamento que vai ajudar a tratar a causa indireta do seu problema. Parece que você está passando por muita pressão nesses últimos meses, e acho que você vai ficar surpresa com a rapidez com que seus problemas de pele vão se resolver quando seu humor melhorar".

Tentando consertar o erro de forma atabalhoada, David diz: "Mas e a coceira em si? Não tem nada que possa ajudar? Porque, se não, talvez seja necessária uma indicação de dermatologista". Ele se vira para Laura: "Você não acha?".

Mas Laura parece exausta, sem nenhuma energia para brigar. Seu rosto ferido está murcho e vazio de dor. Ela diz: "Se você acha que remédios psiquiátricos podem ajudar, estou disposta a tentar. Eu tento qualquer coisa".

O médico preenche a receita, e David, atordoado, acompanha Laura até a saída. A culpa o invade. Ele diz "Querida, espera aqui?" e volta correndo à sala, onde o dr. Lansing está terminando de fazer suas anotações.

"David?"

"Desculpe... É que... Olha... Sinto que eu passei a impressão errada. A Laura não é louca. Ela anda muito estressada, sim, mas ela tem motivos para isso. O emprego, a mudança. Talvez eu não tenha oferecido o apoio de que ela precisava. E eu acho... Eu acho que, se ela diz que a coceira é real, deveríamos confiar nela. É só o que estou tentando dizer. Só isso."

O dr. Lansing passa a mão pela testa cheia de rugas. "Eu entendo sua preocupação", ele diz. "Entendo mesmo. Mas deixa eu te fazer uma pergunta." Ele pega o saquinho plástico de Laura e o entrega para David. "O que você acha que é isso?"

David fica olhando para o saco dobrado. "São as... coisas... que ela achou. Onde ela coçou."

"Mas o que exatamente você acha que tem aí dentro?"

"Ovos, eu acho. Ou larvas? É pequeno demais para eu conseguir ver. Mas foi por isso que ela veio fazer exames!"

"Pequeno demais para você conseguir ver", o médico repete. "Mas não para a Laura. A Laura acha que vê alguma coisa. Você está indeciso, mas a Laura acha que sabe."

David fica em silêncio. Ele sabe aonde o médico quer chegar e não quer acompanhá-lo nesse caminho. O dr. Lansing prossegue: "Isso não é só estresse. Mas também não é nenhum parasita. Esse é um exemplo perfeito do que chamamos de sinal da caixa de fósforos. O nome vem da época em que os pacientes chegavam com caixas de fósforos vazias para mostrar as evidências dos insetos que viviam sob sua pele. Agora usam sacos plásticos ou Tupperware. Ou tiram fotos com o celular. Mas o que tem lá dentro é a mesma coisa. Pedaços de pele morta. Sujeira, fibras. Tudo é quase impossível de ver, a não ser pela própria pessoa cuja mente está atacando o corpo, destruindo tudo para encontrar a prova de uma coisa que não existe".

David esmaga o saco na mão. Essa repentina e cruel inversão de sentido parece extremamente injusta: pensar que Laura fez tanto esforço tentando reunir provas do que está acontecendo com ela só para, no fim, ter esse esforço transformado em evidência de que ela está ficando louca.

"Dr. Lansing", David diz. "Se o paciente fosse eu… Se eu tivesse vindo e reclamado de uma coceira. Você ia me subestimar logo de cara?"

A boca do médico cai e se transforma numa careta. "Filho, é isso que estou tentando dizer. Não estou subestimando ninguém. Os parasitas podem ser imaginários, mas o sofrimento da Laura é real. Parasitose delirante pode ser um sintoma de depressão, mas também pode ser um sinal precoce de psicose… E é muito difícil de tratar, justamente porque os pacientes não costumam aceitar a ajuda que lhes é oferecida. Neste momento, Laura está disposta a fazer o tratamento de que precisa. Se você a ama, não atrapalhe esse processo. Por favor."

E, assim, Laura começa com a medicação: antidepressivos combinados com o que o psiquiatra que ela procurou chamou de um antipsicótico "leve". Assim como o jejum, de certa forma os remédios parecem ajudar. Ela finalmente consegue descansar um pouco, embora comece a dormir oito horas por noite, depois nove, depois dez, isso sem contar os cochilos longos à tarde. David muitas vezes chega em casa do trabalho e a encontra naquele sofá manchado de loção. Ela ganha peso, e seu cabelo escuro tão bonito fica mais fino. Mas ela não sente mais tanta coceira quanto sentia, e a ferida no rosto começa a cicatrizar. A urticária continua surgindo pelo corpo — David tenta evitar, só que continua pensando naquilo como uma picada —, mas ela resiste ao impulso de cutucar a pele, e depois de um dia ou dois as marcas desincham e somem. David tenta se convencer de que isso basta, que ela está melhorando, mas, de vez em quando, ele olha para a mulher lenta e inexpressiva no sofá e quase a odeia por ter levado embora a pessoa que ele amava.

Eles afundam numa espécie de estagnação, e David é obrigado a encarar a possibilidade de essa ser a nova normalidade, o máximo que vão conseguir daqui para a frente. Tarde da noite, enquanto Laura dorme, David se pega voltando à ideia do parasita, um parasita mais corpóreo do que a tristeza. É verdade, afinal, que Laura não parece só deprimida, parece drenada de algo fundamental. E se ela realmente foi acometida por uma infestação exótica e, por culpa do péssimo timing daquele seu desabafo, o médico erroneamente a relegou ao universo dos doentes mentais e a drogou até que ela chegasse a uma resistência muda à dor?

Depois que David se apega a essa possibilidade, por mais que o prejudique, ele não consegue mais deixá-la de lado. Ele ama Laura, a verdadeira Laura, aquele desastre elétrico que ele vira pela primeira vez se encharcando de cerveja no bar. Mas essa Laura — ele não consegue se lembrar da última vez que essa Laura passou batom vermelho. Essa Laura se arruma com muito cuidado, porque assim sua desordem interior não aparece.

E então, certa manhã, ele pede para Laura se sentar. Traz seu cobertor preferido, faz um chá. Quando ele pergunta como tem passado, ela diz a mesma coisa de sempre: "Estou bem". Mas o branco de seus olhos tem uma cor amarela leitosa e doentia, e há uma linha vermelha em volta das narinas, como se estivessem queimadas.

"Eu andei pensando...", ele diz, sentando no sofá ao lado dela. "Estou preocupado com você. E me pergunto se desistimos rápido demais da ideia de que havia mesmo alguma coisa errada com você. Com a sua pele."

Ela fica olhando para a parte de baixo da xícara e diz, vagarosamente: "Às vezes eu também me pergunto".

"Eu sei que o estabilizador de humor está ajudando. Mas talvez haja mais alguma coisa."

"Talvez. Pode ser."

"Se gente buscasse uma segunda opinião, mal não ia fazer, não é?"

"Tipo, outro psiquiatra?"

"Pensei em uma dermatologista. Das boas." Ele abre uma pasta e lhe mostra uma pilha de papéis cuidadosamente organizada: artigos de revistas científicas que ele imprimiu no trabalho. "Tem muita evidência de que doenças reais — reais no sentido físico, digo — muitas vezes são incorretamente diagnosticadas como problemas psiquiátricos. Principalmente em mulheres. O dr. Lansing é *velho*. A geração dele chama tudo de psicossomático: fibromialgia, fadiga crônica. Se quisermos as respostas reais, precisamos procurar bons médicos. Não só bons. Os melhores."

"Deve ser caro", ela diz.

"Laura. Eu não me importo."

Os olhos dela pestanejam com uma luz inesperada e seus lábios se dobram num sorriso conhecido. "A gente pode colocar na planilha."

"*Foda-se* a planilha", ele diz. "Laura, eu te amo. Eu vou cuidar de você. Vai ficar tudo bem."

Eles abrem a janela do carro no caminho até a nova médica que David encontrou, e o vento fresco passa por eles enquanto repassam o plano. Decidiram não levar o saquinho de provas, que ainda mora na geladeira, intocado, e evitar comentários sobre os remédios que ela está tomando, a não ser que a médica pergunte diretamente. Querem começar do zero, sem a desconfiança que despertaram por acidente quando Laura mostrou o saquinho e David falou em estresse. Pelo contrário, ela vai começar de novo: sou saudável, só tem uma coisa. Eu tenho coceira.

O consultório da nova dermatologista é espaçoso e pintado em tons pastel, e o cheiro de limpeza transmite confiança. Embora David se ofereça para entrar, a médica, mais profissional que o dr. Lansing, pede que Laura vá sozinha. Vinte minutos viram trinta, depois quarenta e cinco, e quando Laura aparece David pula da cadeira.

"O que ela disse?"

"Ah, falou em urticária, estresse et cetera. Ela me pressionou para saber dos remédios, e eu falei do estabilizador de humor. Não devia ter falado. Você tinha razão, eu percebi que ela mudou de ideia. Tipo, na mesma hora. Me indicou um peeling químico para a cicatriz."

David balança a cabeça, decepcionado, mas dessa vez é Laura quem o consola. "A gente sabia que ia ser difícil. Já é um começo."

É verdade. Eles sabiam; é. Pela internet eles se conectaram com uma rede inteira de pessoas que sofrem de doenças difíceis de diagnosticar e que enviaram uma lista de doze páginas só com médicos dispostos a ajudar. Eles vão encontrar respostas, mesmo que leve a vida inteira. David acredita nisso, e consegue ver nos olhos de Laura, e em seu sorriso brilhante de batom, que ela também acredita.

Por mais que tivesse imaginado esse momento muitas vezes, ele nunca pensou que aconteceria justo aqui: no estacionamento sem graça de um consultório médico, com o céu cinza de nuvens que voam rápido lá no alto. E, ainda assim, quando as palavras começam a brotar dentro dele, ele não consegue detê-las e nem tem vontade:

"Laura", ele diz. "Quer casar comigo?"

Eles se casam uma semana depois, no cartório. Não contam para ninguém — nem para os pais, nem para os conhecidos de San Francisco, nem para os amigos de Nova York. Laura compra um vestido novo, porque nenhum dos velhos serve mais, e encontra um chapéu vintage lindo que decora com um pedacinho de véu. Eles pedem para outro casal fugitivo servir de testemunha e posam para meia dúzia de fotos tiradas por desconhecidos. Laura fica um pouco triste quando vê as fotos, e David consegue imaginar o motivo: essas fotos nunca vão acabar em cima de uma lareira, nem serão elogiadas por netos impressionados; nas fotos, Laura está terrivelmente pálida, com aquela cicatriz chocante totalmente visível através do véu. Mas eles podem tentar de novo e fazer melhor da próxima vez. Essa é a questão: agora eles têm infinitas chances de descobrir como se amar. Eles têm a vida inteira para fazer dar certo.

* * *

Na noite do casamento, David está deitado ao lado de Laura quando uma fresta de luz da lua cai sobre o braço da esposa. A picada original, aquela que deu origem a tudo, há muito tempo se transformou numa cicatriz alta e cintilante. É difícil acreditar que algo tão pequeno poderia causar tanto estrago — um tiro dificilmente deixaria tanta dor pelo caminho.

Poucos centímetros acima da cicatriz, uma nova bolha se formou em um suave inchaço de carne, e David passa os dedos sobre a pele. A bolha está quente, quase febril, embora a pele de Laura esteja fria. Enquanto passa a mão, David sente alguma coisa latejando sob o toque: um tremular de pálpebra, o tique-taque de um relógio.

David tira a mão na mesma hora, esfregando os dedos para se livrar daquela sensação vívida e perturbadora. Ele quer acreditar que foi só imaginação, mas seus olhos continuam oferecendo provas: a pele esticada sobre a bolha está deformada e trêmula, como se alguma coisa lá dentro estivesse pressionando e tentando sair.

"Laura", ele sussurra. "Laura, acorda." Mas ela está num sono profundo e medicado, e é impossível acordá-la. Ele aperta os olhos no escuro, enquanto a pele do braço dela ondula como um mar agitado. E então, diante de seus olhos, o círculo de carne incha e uma picada escura surge bem no meio. Uma bolha translúcida de sangue se eleva devagar dentro do buraco e estoura num esguicho vermelho; e o parasita que vinha consumindo Laura por todos esses meses perfura sua carne e, chacoalhando, se liberta.

David pega o parasita. Prende-o na mão e puxa, e ele se revela, como um cordão vivo. Ele tira o parasita da pele de Laura e o joga, molhado e retorcido, no espaço do lençol entre os dois: essa coisa impossível, essa coisa inacreditável.

O parasita se debate, úmido, na cama, um cilindro de quinze centímetros de carne branca e rugosa, revestido de milhares de pernas tremelicantes que oscilam como algas no ar desconhecido. É uma prova muito grande para uma caixa de fósforos e muito forte para um saco de plástico; eles vão voltar ao consultório amanhã com essa prova indiscutível presa num pote de vidro grosso. Ela estava certa todo esse tempo, e ele estava certo em acreditar nela; ele tinha chegado perto, muito perto, de perder tudo.

Agora eles estão bem. Ele não vai mais ser a única pessoa que acredita nela. Pode ser que o corpo de Laura continue fervilhando com um enxame de milhares de filhotes, mas a mãe está morrendo e amanhã toda a ciência médica estará do lado de Laura, ajudando-a a combater a infestação até que seu sangue seja de novo seu, até o dia em que ela estiver leve e livre e limpa de novo.

O parasita se contorce num último espasmo violento e, enquanto David o observa, o verme se levanta, cego e faminto, e esfrega uma das pernas em seu rosto. Ele o agarra, mas é tarde demais: o bicho se prende nele e mergulha, abrindo caminho pelo ponto macio que separa o olho do osso, numa explosão ofuscante de dor.

David pode sentir as milhares de pernas espinhosas dançando na parte de dentro da bochecha, arranhando o crânio, acariciando e estimulando os cantos do cérebro. Aí a sensação enfraquece e desaparece, deixando David só com uma coceira no lugar pelo qual entrou, e uma bolha inchada, tão pequena quanto uma picada de mosquito, bem embaixo do olho. Ao seu lado, Laura se vira, geme e se coça dormindo, e David se deixa cair, enquanto o monstro que nasceu sob a pele de sua amada pulsa em sua corrente sanguínea, nadando com um instinto infalível rumo ao seu coração.

Vontade de morrer

Então, isso aconteceu faz um tempo, na época que eu estava morando em Baltimore e andava solitário pra caralho. Essa é a minha única desculpa, se é que eu posso dar alguma desculpa: eu estava desempregado, pagando um quarto de hotel barato semana a semana, do outro lado do país, longe de todo mundo que eu conhecia, me sustentando com cartão de crédito e tentando "me encontrar". Em outras palavras, vivendo chapado e bêbado o tempo todo e dormindo tipo dezoito horas por dia.

Basicamente as únicas pessoas com que eu falava direto nessa fase eram as meninas que eu conhecia no Tinder. Eu ficava no meu quarto, bebendo e vendo pornô e jogando videogame, e de repente percebia que não tinha falado com um ser humano em uma ou duas semanas, nem saído do quarto ou trocado de roupa ou comido alguma coisa que não tivesse vindo numa caixa. Eu começava a mexer no aplicativo, tentando achar alguma menina que me ajudasse a me sentir um ser humano. Quando achava, a gente se encontrava num bar e conversava por uma hora, depois a menina voltava comigo para o hotel para trepar.

Nunca saí com a mesma menina mais do que umas cinco vezes. Não era de propósito, na verdade. Só era assim que acontecia.

Isso que eu vou te contar aconteceu com uma dessas meninas. Ela era bonitinha — baixinha, loira, de algum lugar do Centro-Oeste, acho. Só pelo perfil dela no aplicativo eu já sabia que a gente não tinha nada a ver. Nem era culpa dela — naquela época eu não tinha nada a ver com ninguém. Meu divórcio ainda estava para sair, e eu não estava falando com ninguém da família, a não ser com meu irmão, uma vez a cada quinze dias... Olha: eu sabia que não estava em condições de entrar num relacionamento, e não queria obrigar ninguém a me aguentar a longo prazo. Pelo menos eu tinha essa consciência.

Aí eu e essa menina começamos a falar por mensagem, e eu comecei a contar um pouco de mim, da minha situação, nada muito profundo. Ela até que parecia estar a fim, então perguntei se ela queria sair pra beber. Ela falou que não bebia e eu falei: tá, a gente pode comer um doce, sei lá, não tem problema. E aí ela disse: na verdade, se for tudo bem por você, será que eu posso só passar aí?

De vez em quando as pessoas do Tinder eram diretas nesse nível. Não era sempre, mas acontecia. Eu sempre topava, mas por dentro ficava meio que pensando: caramba, que coragem. Porque eu sei que não vou te estuprar e te matar, mas como é que você sabe? Claro, não era uma coisa que eu podia perguntar. Eu só ficava pensando.

Aí a menina já ia chegar e eu tentei me apressar pra dar uma geral, porque o quarto era um chiqueiro e eu era o porco que morava ali. Fui tomar banho e fiz a barba e enfiei tudo no armário, tentando dar a impressão de que eu era o tipo de pessoa que troca de cueca todo dia, só que na verdade, se não fosse o Tinder, acho que eu teria usado a mesma cueca boxer suja de bosta por tanto tempo que ia acabar pegando uma infecção e morrendo.

Eu ainda estava fazendo o que podia para tentar ficar um pouco menos nojento, e de repente alguém bateu na porta. Antes de abrir, espiei pelo olho mágico só para ter certeza de que era ela. E quem mais ia ser, né? Mas eu andava meio paranoico, provavelmente porque estava usando muita droga. Lá estava: uma menina linda, com o cabelo preso num rabo de cavalo, parecia uma *cheerleader*, e uma blusinha cor-de-rosa justa e calça jeans, e meu primeiro pensamento foi: *foda pra caralho*. Porque não dá pra saber como essas meninas vão ser de verdade quando elas aparecem na vida real. Hoje em dia dá pra fazer mágica nas fotos com aqueles filtros e o escambau. Mas a segunda coisa que eu notei é que ela tinha levado uma mala. Não uma mala grande — uma daquelas de rodinha que você leva no avião. Estranho, né?

Abri a porta, e a primeira coisa que eu fiz foi uma piada sobre a mala: nossa, quantos dias você tá pensando em ficar? Ela deu risada e eu disse: não, sério, o que tem aí dentro? Maquiagem, sei lá? Ela deu um sorrisinho, tipo brincando que era segredo, e depois piscou pra mim e disse: se você der sorte, vai acabar descobrindo.

Quando eu convidava as meninas, sempre tinha um momento em que elas percebiam que de fato eu morava num quarto de hotel barato, que eu não estava só passando uns dias. Eu sempre avisava antes — alertava, na verdade —, mas às vezes elas não chegavam a acreditar até verem com os próprios olhos. Mesmo quando eu me empenhava na limpeza, não conseguia esconder que a situação era pesada pra caralho. Se elas ficassem muito chocadas, eu sempre sugeria que fôssemos para outro lugar, mas nunca ninguém aceitou. Acho que, depois daquele susto inicial, elas só ficavam com um pouco de pena de mim.

Mas essa menina — se ela deu a mínima para a minha situação, ela não demonstrou. Foi entrando com a mala, tipo uma aeromoça, e aí chegou e pulou na cama, tipo, bora! Ela não chegou nem a tirar a porra do sapato. E eu sei que é ridículo, depois de tudo que eu falei da decrepitude da minha vida, mas aquilo me irritou. A gente se conhece há menos de trinta segundos e você chega com uma mala e coloca o sapato podre na minha cama, será que dá pra pegar mais leve, sabe? O sapato em si era normal — Keds, acho —, mas era meio encardido e tinha uma mancha marrom na sola, que, Deus me livre, eu espero que fosse só terra.

Talvez se eu estivesse em outra *vibe* eu falaria alguma coisa do tipo: então, será que você pode tirar o sapato antes de pular na cama? E não seria nada de mais. Mas acho que esse era o problema, naquele momento, eu não conseguir lidar com as interações normais entre os seres humanos. Eu sabia que era exagero — e com certeza a colcha da cama já tinha visto coisas bem piores. Às vezes eu ficava pensando nisso quando não conseguia dormir, que a coberta ia brilhar muito na luz negra, um monte de mancha de merda e sangue e pus e porra por todo lado e, consequentemente, por todo o meu corpo. Aí agora eu penso: por que não levei a coberta na lavanderia, se me incomodava tanto? Mas não levei. Naquela fase eu vivia daquele jeito.

Voltando à menina. Ela estava na minha cama. Eu ofereci uma bebida e depois lembrei que ela não bebia. Ela disse que queria um copo d'água, e eu perguntei se ela queria gelo e depois lembrei que não tinha gelo, então ela teve que se contentar com água morna da torneira num copo de papelão. Eu estava me superando, sério. Mas, de novo, parecia que ela não ligava. Perguntei se ela queria ver um filme, e ela disse que queria, mas de um jeito que era meio *nós dois sabemos muito bem que hoje não vai rolar filme*. E, sei lá, acho justo. Tem menina que sabe o que quer, e às vezes ela só quer fazer um sexo aleatório num quarto de hotel com um cara até que ajeitado que conheceu na internet. Quem diz que homens e mulheres querem coisas muito diferentes na cama não sabe do que está falando, na minha opinião. Talvez a mulher mediana seja um pouco mais conservadora do que o cara mediano, mas sempre tem umas coisas completamente loucas acontecendo lá no finalzinho da curva. Estatística, né?

Depois a gente começou a se pegar, e a coisa foi ficando mais ousada, e aí eu fui pegar a camisinha, e ela disse: "Espera".

Beleza, eu pensei, ela não quer transar, quer só dar uns beijos. Acontece muito. Eu nem ligo, sinceramente. Sou muito mais um boquete empolgado do que uma transa sem graça.

Mas aí ela disse: "Tem uma coisa que eu preciso te contar".

E eu: "O quê?".

Ela disse: "A questão é que eu tenho gostos muito específicos no sexo. E o único jeito de eu conseguir curtir, sexualmente, é se você fizer exatamente o que eu mandar, exatamente do jeito que eu gosto".

Não esquece que esse é o máximo de palavras seguidas que ela me disse desde que a gente se conheceu. Eu fiquei um pouco com pé atrás. Mas disse: "Claro, tudo bem. Sem problema. Me fala".

Ela disse: "Eu quero que você prometa que vai respeitar as minhas vontades e vai fazer o que eu pedir, porque isso é muito importante pra mim".

E eu: "Sei lá, claro, vou respeitar você, é óbvio, mas não vou dizer que vou fazer alguma coisa antes de saber o que é".

Isso que eu disse foi tranquilo, né? Mas ela ficou meio irritada. Eu via no rosto dela, parecia que ela queria que eu concordasse de cara, sem perguntar nada. E ela era bonitinha e tal, mas não rolava.

Numa voz meio baixa, rouca, tipo sexo por telefone, como se ela fosse falar a coisa mais excitante, mais errada do mundo, ela disse: "Eu quero que a gente entre junto no chuveiro. Aí eu quero que a gente, tipo, fique se beijando, se pegando. Normal. E aí, depois de um tempo, e essa parte é muito importante, quando eu não estiver esperando, quero que você me dê um soco na cara com toda força. E, depois que você me der o soco, quando eu estiver caída, quero que você me dê um chute na barriga. E aí a gente pode transar".

O que você ia fazer nessa situação? Sério, eu tô te perguntando. Porque o que eu fiz foi isto: eu dei risada. Dei risada na cara dela. Não porque aquilo tinha graça, só porque... eu nem sei por quê. Fiquei rindo sem parar, e, como ela não riu também, eu só fiquei olhando, até que no fim ela disse, bem devagar: "É isso que eu quero. Me dá um soco, me chuta, e aí depois a gente pode transar".

Na minha cabeça, eu pensei: tá, essa pessoa é louca.

Ou tá me zoando.

Ou é tipo um teste, e a gente vai aparecer num reality show, sei lá.

Mas eu estava tentando ser educado, então a única coisa que eu disse foi: "Desculpa, eu respeito os seus desejos e tudo mais, mas eu não curto essas coisas".

E ela disse: "Não importa se você curte ou não. *Eu* curto. E é disso que eu preciso se a gente vai trepar".

Foi a coisa mais desconfortável do mundo. Ela ficou lá me olhando, esperando para ver se eu concordava em fazer aquilo que obviamente eu não ia fazer, e eu não sabia o que dizer, mas ela não me dava nenhuma dica, e parecia loucura só chegar e falar então tá, mina, a gente se vê. Então, no fim, eu disse: "Tudo bem se a gente continuar se pegando mais um pouco, e aí eu posso pensar?".

Ela disse que tudo bem, então foi isso que a gente fez. Meu cérebro ficou esse tempo todo a mil. Eu fiquei pensando: não, caralho, não, eu não tô aqui pra bater numa menina aleatória, tsc, tsc, não rola. Na verdade ela nem sabia o que estava pedindo. Não era possível. Ela era uma menina pequena, uns quarenta e poucos quilos, se eu fosse dar um palpite, e eu sou mais forte do que pareço. Se eu batesse nela com toda a força, porra, ela corria um risco real de acabar morrendo. Mesmo que aquilo fosse golpe, se depois ela planejasse ameaçar me entregar pra polícia e me chantagear, ou se o namorado dela aparecesse para salvá-la e me desse uma surra porque era isso que *ele* curtia, mesmo assim ela não sabia onde estava se enfiando pedindo para eu bater tão forte.

Mas, claro, já que ela era gata e a gente ainda estava se pegando e eu estava curtindo, de repente meu cérebro começou a tentar arranjar um jeito de pensar em algo que fizesse aquele pedido absurdo não parecer completamente doente. Talvez ela tivesse se enganado quando falou que queria um soco com força, mas, fora isso, ela sabia o que queria. Assim, tem diferentes níveis de soco, e o que ela queria era levar um soco que não a deixasse correndo risco *real* de vida. Talvez a parte do "com toda a sua força" não precisasse ser tão ao pé da letra. A menina queria que eu batesse nela porque pra ela era isso que dava tesão, e, se você for pensar, não é tão diferente de uma garota que pede para levar um tapa na bunda ou na cara ou para ser enforcada, e eu já tinha feito tudo isso, com vários níveis de empolgação e de sucesso.

Tá, eu fiquei pensando comigo mesmo, essa menina tem esse fetiche, e é um fetiche bizarro. Sabe-se lá onde ela foi arranjar isso — quer dizer, eu até consigo imaginar, e podem ser umas coisas bem pesadas, eu não quero me aprofundar muito nisso. Mas, seja qual for o motivo, ela é assim e agora não consegue mais mudar — é como quem tem fetiche por pés ou até quem é pedófilo —, a gente não tem controle sobre o que quer; só dá pra controlar o que a gente coloca em prática. Essa menina colocou seus desejos em prática de uma forma completamente madura e responsável; ela te falou tudo logo de cara, ela não esperou até vocês saírem duas ou três vezes e ficarem apaixonados; ela foi direta e te deu uma escolha. De certa forma, ela está se mostrando vulnerável pra você, pedindo para você fazer uma coisa que muita gente julgaria. Sim, ela acabou parecendo meio mandona e rígida quando falou aquilo, mas na verdade ela foi honesta e aberta e direta e, de certa forma, essa atitude merece respeito.

Aí eu cheguei ao ponto em que estava me perguntando: será que eu *consigo* bater nessa menina? Não com toda a força, mas meio que... de um jeito simbólico? Considerando que depois ela vai ficar morrendo de tesão e a gente vai fazer um sexo incrível? Por que não, né? Mas mesmo assim eu pensei: quem faz isso? Que tipo de pessoa vai encontrar um cara desconhecido e pede para ele lhe dar um soco com toda a força? Uma pessoa que tem vontade de morrer, isso sim. E mesmo se eu deixar de lado minha repulsa natural à ideia de dar um soco em alguém no contexto sexual, por que eu ia querer trepar com uma menina que tem vontade de morrer? O que isso diria sobre mim?

A questão é: isso é o que eu penso *agora*. Eu queria poder dizer que não pensei isso naquele momento: que eu estava tão deprimido que isso não passou pela minha cabeça. Mas isso *passou* pela minha cabeça. Eu pensei nisso, mas aí eu só... deixei pra lá. Como se a minha consciência fosse um caminhão sem freio. Eu não queria bater naquela menina, mas a situação foi saindo do controle, e sim, ela era doida, mas pra falar a verdade todas aquelas meninas do Tinder que saíam comigo e trepavam comigo naquele quarto de hotel, todas eram doidas em algum nível. Meninas com o *mínimo* instinto de preservação — elas conseguiam me sacar a um quilômetro de distância. Acho que todas conseguiam, na real. Mas algumas ficavam com tesão só de sentir o cheiro. Porque, vamos ser bem sinceros, essa menina não ia pedir para um corretor de imóveis bater nela, ou algum cara da faculdade. Ela viu que eu era alguém que podia dar o que ela queria. Eu abri a porta e ela pensou: é isso aí, esse tem cara de que ia gostar de me dar um soco na cara. Ser visto desse jeito era uma coisa que me assustava. Mas o que mais me assustava era que, ao que tudo indicava, ela tinha razão. Talvez eu tivesse aquele desejo em mim, só que não conseguia ver. E, se eu fizesse o que ela estava pedindo, talvez eu pudesse tirar aquilo de mim ou provar que aquilo não existia.

Então eu perguntei, uma última vez: "Tem *certeza* que você quer fazer isso?".

Ela disse: "Tenho certeza".

Eu disse: "Não quer só ficar juntinho vendo um filme?".

Ela deu uma risadinha e disse, meio que provocando: "O quê, você tá com medo, é isso?".

Eu ia dizer que não, mas aí pensei: por que não dizer a verdade? Então eu disse: "É, eu tô, na verdade".

Ela colocou a mão sobre a minha, pra me consolar. "Eu sei que é estranho", ela disse. "Não quero te assustar."

"Acho que eu só preciso de um tempinho para processar", eu disse. "Eu nunca dei um soco na cara de uma menina."

Na verdade, eu nunca tinha dado um soco na cara de ninguém, mas essa parte eu não falei; não queria parecer amador.

Ela deu risada. "Essa vaga não exige experiência!", ela disse. "Eu ficaria honrada de ser a sua primeira vez."

Olhando pra ela, sorrindo pra mim daquele jeito, eu tive um impulso de perguntar mil coisas, tipo, por que cargas-d'água você ficou assim, de onde você é, você tem irmãos, com o que você trabalha, qual é sua primeira memória, qual é a sua cor preferida e, olha, aliás, o que tem dentro dessa mala que você trouxe?

Mas, antes que eu pudesse dizer qualquer coisa, ela apertou minha mão de novo. "Você não tem que se preocupar com nada", ela disse. "Você vai ser incrível, eu prometo."

"Eu não sei direito o que isso diz sobre mim."

"Quer dizer que eu confio em você", ela falou, e me deu um beijo na bochecha.

Eu não sabia se aquilo era verdade, mas era o que eu precisava ouvir. Eu disse: "Tá. Se você tem certeza que é isso que você quer, eu faço".

Nessa hora a cara dela brilhou tipo a porra de uma árvore de Natal. Ela me beijou de novo e saiu pulando da cama e entrou correndo no box para ver como era. Agora, acho que nem vale a pena explicar essa parte, mas a gente não está falando de um banheiro de pousada romântica com sabonete chique e ducha; era um chuveirinho nojento de hotel, com bolor no rejunte e umas manchas de procedência duvidosa na parede. Uma parte de mim esperava que ela visse aquilo e mudasse de ideia. Mas que nada — ela abriu a torneira e entrou.

Ela era linda pelada, mesmo na luz fluorescente do banheiro — tinha aquele tipo de corpo que eu adoro, tão pequeno que dá pra você girar no pau —, mas, ao mesmo tempo, fiquei inspecionando discretamente pra ver se ela tinha algum hematoma, me perguntando se eu era tipo o terceiro cara na semana que ela pedia que batesse nela. Só que não tinha marca nenhuma. Nenhum corte, nada. Parecia uma menina normal.

Entrei com ela no chuveiro, e a gente se beijou, e ela me chupou um pouco, mas eu não estava conseguindo reagir direito por causa da pressão do que ia acontecer depois. Logo ficou meio óbvio que o boquete não ia rolar, aí eu falei: então, e se a gente ficar só se beijando, e a gente ficou, mas depois de alguns minutos ela saiu de perto e começou a se ensaboar, me olhando por cima do ombro como se tivesse alguma coisa muito interessante acontecendo. Eu entendi que esse era o jeito de ela demonstrar que não estava prestando atenção e que essa era uma boa hora para um soco.

Aí eu dei um soco nela. Mas não de verdade. Foi a batidinha mais leve e mais delicada do mundo. Eu, tipo, cutuquei a pontinha do nariz dela com a mão fechada.

Tomara que isso seja o suficiente, eu pensei.

Não era. Por um segundo ela ficou com uma cara de puro desprezo. Ela disse: "Preciso que você leve isso a sério, Ryan. Você *não* usou toda a sua força. Me bate de verdade. Beleza?".

Ela começou a passar xampu no cabelo, e aí eu ganhei um pouco mais de tempo, mas eu sabia que, assim, o tempo estava passando, e agora eu estava sentindo um medo em mim, no meu corpo, e sentia aquilo virando uma fraqueza nos braços, um aperto no peito. Tinha um limite entre o que era legal e o que era real; eu tinha que ficar no espaço em que aquilo não chegasse a machucá-la de verdade, mas que *fosse* o suficiente pra ela ficar satisfeita, e era uma linha muito tênue; o perigo de calcular errado era muito grande. Claro, uma partezinha do meu cérebro ficava falando: cara, você não precisa fazer isso, você não precisa seguir esse caminho. Mas outra parte de mim ficava pensando nela pedindo desculpas por ter me assustado e pensando que eu tinha garantido que ela não era estranha por pedir aquilo. Eu não queria voltar atrás. Eu queria ser capaz de fazer o que ela tinha me pedido, só isso.

Aí a gente entrou nessa situação absurda em que ela ficava me olhando e me intimando cada vez mais, tipo: vai, cara, só vem e me dá um soco na cara, e a água foi ficando gelada e ela começou a ficar realmente irritada, mas, como ela tinha que fingir que não sabia de nada pra coisa funcionar, ela continuou passando xampu no cabelo e suspirando sem parar, e eu fui fechando o punho e gritando comigo mesmo: vai, vai, vai...

E aí eu fui. Peguei impulso e dei um soco nela, de verdade.

Ela desmoronou. E quando caiu ela soltou um "uuuuuuuh" bem comprido, dramático, e quando bateu no chão tinha um fio de sangue escorrendo do nariz dela até o ralo. Bem pequeno. Mas mesmo assim.

Aí eu: "Caralho! Você tá bem?".

Eu fiquei enjoado na hora. Fiquei pensando: meu Deus, e se ela morrer? Me imaginei sendo preso, indo no julgamento, minha mãe chorando, eles me mandando pra cadeia algemado. Fiquei pensando: vou precisar desovar o corpo dela, porque nunca ninguém vai acreditar se eu contar a verdade.

Eu agachei para medir a pulsação dela. Ela abriu os olhos e falou como se eu fosse o amiguinho burro que tinha esquecido as falas no teatro da escola: "Eu tô *ótima*, mas agora você tem que me *chutar*".

Ela fechou os olhos de novo, e, deixa eu te falar uma coisa, naquela hora eu senti ódio daquela menina, e tenho quase certeza que ela também sentiu ódio de mim. Eu sabia exatamente o que ela estava pensando: que tinha corrido atrás de um cara casca grossa que topasse descer com ela naquele lugar pesado que era a vida dela, mas acabou arranjando um bundão covarde, um cara zoado demais pra mandar ela se foder, mas medroso demais pra fazer o que tinha prometido.

Eu nem tinha pensado muito na coisa do chute antes, porque tinha ficado todo preocupado com a parte do soco, mas nessa hora eu vi que era pior ainda chutar a menina enquanto ela estava lá deitada de olho fechado, indefesa, em posição fetal, como se ela precisasse se proteger de mim. Tem até um ditado sobre isso, sabia, que diz que é muito errado chutar alguém que já está no chão. Eu fiquei lá em pé em cima dela, naquele chuveiro gelado, mofado, tentando mexer a perna, e eu não conseguia, não conseguia. Mas eu sabia que aquilo não ia acabar nunca se eu não chutasse. Acho que numa dimensão paralela uma versão de mim a pegou no colo e enrolou numa toalha e disse: "Gata, eu te respeito, mas você merece mais, a gente merece mais", ou alguma bobagem nesse estilo. Mas se eu vivesse nessa outra dimensão ela não ia estar ali comigo, eu não ia morar naquele hotel; no mínimo, aquela versão de mim teria levado a merda da colcha na lavanderia, teria pedido pra ela não deitar na cama de sapato. Seria um mundo que faria sentido. Mas nesse mundo, eu fiquei lá olhando aquela menina, pensando: nossa, vai se foder, moça, porque eu sabia que a minha vida era uma merda... mas eu não sabia o que era uma merda até você aparecer.

Na reabilitação o pessoal fala da sensação de chegar ao fundo do poço, e eu queria dizer que aquele foi o meu fundo do poço, ficar em pé olhando aquela menina pelada, criando coragem para dar um chute na barriga dela. Era uma mistura de responsabilidade e impotência — de verdade, olhando pra ela, eu via com total clareza que eu não podia botar a culpa em mais ninguém, que eu era a pessoa que tinha deixado a minha vida sair completamente do controle. Tudo que eu fiz na vida tinha me feito chegar àquele ponto; todas as minhas escolhas tinham me levado àquilo, a isso.

Mas se aquilo *tivesse* sido o meu fundo do poço, eu teria mudado, certo? Tomar consciência disso teria me ajudado de alguma forma. Mas não ajudou. Eu só me senti pior.

Aí, finalmente, eu fui. Chutei a barriga da menina, como ela tinha pedido. E nessa hora eu entendi por que essa coisa toda tinha que acontecer no chuveiro, porque ela vomitou. Um vômito bege de mingau saiu pela boca e se misturou com a água e ficou girando perto do meu pé, e a essa altura minha memória vira meio que um chuvisco, tipo uma TV quebrada, mas eu posso te dizer que foi bem pior do que eu pensei que ia ser, foi muito muito muito muito ruim.

Depois, ela mal se enxaguou. Nem encostou no sabonete.

Só foi para a cama e fez um gesto pra mim, e aquela voz baixinha na minha cabeça começou praticamente a *gritar*, assim: Ryan, para para para, por favor, mas eu não parei, eu comi a menina, lá mesmo em cima da colcha do hotel, e fiquei respirando pela boca para não sentir o cheiro de vômito, e tinha uma camada de sangue encrostado dentro da narina dela entre o nariz e o lábio superior que era a coisa mais horrível que eu vi na vida.

Sei lá.

Quando eu tento rever o lugar onde eu estava naquele momento da minha vida, entender como eu cheguei lá, àquele soco, àquela cama, àquela menina — eu não consigo. Eu consigo ver que algumas decisões ruins levaram a outras decisões ruins, mas não consigo ir até o fim; parece que eu imagino uma curva em que vou caindo cada vez mais, sem parar, e aí eu saio do radar, fico invisível, e aí, depois de um tempo, a linha vai subindo e volta a aparecer, e eu não sei o que aconteceu entre uma coisa e outra. Porque o pior não foi bater nela, nem transar logo depois, nem ficar ajoelhado no banheiro, respirando dentro da privada, quando a gente terminou. Foi o que eu senti depois, quando já tinha acabado, quando ela foi embora e eu fiquei sozinho.

Eu nunca descobri o que tinha naquela mala. Talvez uns vibradores ou lingerie. Talvez acessórios de fetiche. Talvez luvas de boxe. Talvez fosse uma bomba: algum demente chegou e falou, tipo, entra num quarto e pede para um cara qualquer te dar um soco, senão eu mando vocês dois pro inferno. Talvez estivesse vazia. Talvez ela fosse moradora de rua e a mala fosse a única coisa que ela tinha. Ela desfez nosso match no Tinder logo depois de ir embora — sério, foi tão rápido que ela deve ter me deletado no estacionamento —, então eu nunca vou descobrir.

Ela era uma garota cheia de problemas, óbvio. Nós dois tínhamos questões, mas posso dizer com toda a sinceridade que ela foi a única pessoa que eu conheci que era sem dúvida tão perdida quanto eu, então acho que a gente tinha isso em comum, pelo menos.

Não muito tempo depois de isso tudo acontecer, meu irmão apareceu em Baltimore e fez uma intervenção; meu divórcio foi finalizado e eu acabei arranjando um emprego e me mudei da cidade, comecei a ir a uma ou outra reunião, mas nunca consegui me dedicar completamente aos passos. O curso da minha vida não seguiu até que voltei a ver sentido nas coisas que fazia; eu conseguia entender as minhas decisões, mesmo quando fazia escolhas ruins, eu conseguia dizer quais eram os motivos; eu podia dizer: fiz *x* por causa de *y*.

Já faz anos, mas eu ainda penso nela. Jacquelyn, era esse o nome dela. Eu me pego pensando nela, em como ela acabou ficando daquele jeito, no que tinha dentro daquela merda de mala, no que ela está fazendo hoje. No fim, eu sempre chego à mesma conclusão, que é: ela deve ter morrido, né? Pelo jeito que ela falou comigo, como ela explicou com cuidado o que precisava — eu não fui a primeira pessoa a quem ela pediu pra bater nela daquele jeito. Eu sei que não. E essas decisões têm uma consequência natural. Dê *x*, receba *y*. Não dá pra você sair encontrando uns caras por aí e pedindo pra eles te baterem sem acabar morrendo mais cedo ou mais tarde, dá?

Mas vai saber.

Pode ser que dê.

Aquela que morde

Ellie mordia. Mordia as outras crianças da pré-escola, mordia os primos, mordia a mãe. Quando completou quatro anos, ia duas vezes por semana a uma médica específica para "trabalhar" seu hábito de morder. No consultório, Ellie fez duas bonecas se morderem, e depois as bonecas conversaram sobre o que sentiam quando mordiam ou eram mordidas. ("Doeu", uma disse. "Desculpa", disse a outra. "Fiquei triste", a primeira disse. "Eu fiquei feliz", disse a outra. "Mas... desculpa de novo.") Ela listou as coisas que podia fazer em vez de morder, como levantar a mão e pedir ajuda ou respirar fundo e contar até dez. Por sugestão da médica, os pais de Ellie colocaram uma tabela na porta de seu quarto e a mãe de Ellie colava uma estrela dourada na tabela a cada dia que Ellie não mordesse ninguém.

Mas Ellie amava morder muito mais do que amava estrelas douradas e continuou mordendo, com alegria e violência, até que um dia, depois da aula na pré-escola, a bela Katie Davis apontou para Ellie e cochichou bem alto no ouvido do pai: "Aquela ali é a Ellie. Ninguém gosta dela. Ela *morde* as pessoas", e Ellie passou tão mal de vergonha que não mordeu mais ninguém por mais de vinte anos.

Na vida adulta, embora os dias de colocar as mordidas em prática tivessem ficado para trás, Ellie ainda se entregava a fantasias nas quais perseguia os colegas de trabalho pelo escritório e os mordia. Ela se imaginava, por exemplo, entrando escondida na sala da copiadora, onde Thomas Widdicomb estaria organizando os relatórios, tão absorto em sua tarefa que não veria Ellie, de quatro, chegando por trás dele. *Que merda é essa, Ellie?*, Thomas Widdicomb gritaria nos segundos finais, logo antes de Elle afundar os dentes em sua panturrilha roliça e peluda.

Embora o mundo tivesse feito Ellie parar, por pura vergonha, de morder os outros, ninguém poderia fazê-la esquecer do prazer em saltitar atrás de Robbie Kettrick quando ele estava na mesa, empilhando blocos com um ar convencido. Tudo normal, tranquilo, chato, e de repente chega a Ellie — *NHAC*! Então Robbie Kettrick começa a gritar igual a um bebê e todo mundo sai correndo e berrando, e Ellie não é mais só uma menininha e sim uma criatura selvagem andando pelos corredores da pré-escola e deixando um rastro de caos e destruição.

A diferença entre adultos e crianças é que os adultos entendem as consequências de seus atos, e Ellie, como uma pessoa adulta, entendia que, se quisesse pagar o aluguel e manter o plano de saúde, não poderia sair por aí mordendo as pessoas do trabalho. Portanto, por muito tempo, Ellie não pensou seriamente em morder seus colegas — pelo menos até o dia em que o gerente do escritório morreu de ataque cardíaco durante o almoço, na frente de todo mundo, e a agência de colaboradores temporários enviou Corey Allen para substituí-lo.

Corey Allen! Depois, as colegas de Ellie ficavam perguntando umas às outras: o que a equipe da agência tinha na cabeça quando mandou essa pessoa? O Corey Allen de olhos verdes, cabelo loiro e bochecha rosa não combinava com o ambiente de escritório. O Corey Allen, como um fauno ou um sátiro, combinava com um campo ensolarado, com ninfas nuas e felizes à sua volta, fazendo amor e bebendo vinho. Como bem disse a Michelle do financeiro, Corey Allen dava a impressão de que a qualquer momento poderia desistir da carreira de gerente para fugir e ir morar numa árvore. Ellie, que de certa forma era excluída no trabalho, muitas vezes flagrava conversas sussurradas cujo provável tema era a quantidade de mulheres no escritório que queriam transar com ele. Corey Allen era lindo e não era deste mundo.

Ellie não queria transar com o Corey Allen. Ellie queria mordê-lo. Bem forte.

Ela se deu conta disso quando observou Corey Allen colocando donuts cobertos de glacê numa travessa antes da reunião matinal de segunda-feira. Quando terminou de arrumar os donuts, ele se virou e, notando que ela o observava, deu uma piscadinha. "Nossa, Ellie, parece que você está com fome", ele disse com um sorriso sugestivo.

Ellie não estava conferindo o corpo do Corey Allen, como ele parecia ter insinuado; nem sequer tinha pensado nos donuts. Mas de repente ela se pegou imaginando como seria cravar a mandíbula na parte macia do pescoço de Corey Allen. Corey Allen ia gritar e cair de joelhos, e aquele olhar arrogante sumiria de seu rosto. Ele lhe daria um tapinha fraco, choramingando: "Ai, não, Ellie! Para! Por favor! O que você tá fazendo?", mas Ellie não ia responder, porque sua boca estaria cheia da carne doce e pungente do Corey Allen. E nem precisava ser o pescoço. Quanto ao lugar, ela não tinha frescura. Poderia morder o Corey Allen na mão, ou no rosto. Ou no cotovelo. Ou na bunda.

Cada lugar teria um gosto diferente, uma textura diferente; uma proporção diferente de osso e gordura e pele; à sua maneira cada um seria uma delícia.

Talvez eu morda *mesmo* o Corey Allen, Ellie pensou depois da reunião. Ellie trabalhava no departamento de comunicação, o que significava que passava noventa por cento de seu tempo elaborando e-mails que ninguém nunca lia. Tinha uma conta de investimento no banco e convênio médico, mas não tinha namorado, nem ambição, nem amigos próximos. Ela às vezes sentia que toda sua existência era fundamentada na ideia de que buscar o prazer era menos importante que evitar a dor. Talvez o problema da vida adulta fosse isso de você pesar as consequências de cada ação com cuidado demais, e assim acabar levando uma vida que você despreza. E se Ellie de fato mordesse Corey Allen? E se? O que ia acontecer?

Naquela noite, Ellie vestiu seu melhor pijama, acendeu uma vela e se serviu de uma taça de vinho. Depois ela tirou a tampa de uma caneta, abriu seu caderno preferido e começou uma folha nova:

Motivos para não morder o Corey Allen
1. É errado.
2. Posso me ferrar.

Ela deu uma mordidinha na ponta da caneta, depois adicionou dois itens secundários.

Motivos para não morder o Corey Allen
1. É errado.
2. Posso me ferrar.
    a. Posso ser demitida.
    b. Posso ser presa/multada.

Ellie pensou: se, em contrapartida, eu pudesse morder o Corey Allen, eu não ia me importar com a demissão. Havia um ano e meio, ela vinha passando a maior parte do horário de almoço, a maior parte dos dias, no celular, vasculhando ofertas de emprego no Monster.com. Ela estava preparada para um novo cargo, e se sentia perfeitamente qualificada para isso. No entanto, arranjar um emprego novo depois de pedir demissão do antigo não era a mesma coisa que arranjar um emprego novo depois de ser demitida do antigo por morder alguém. Será que era impossível conseguir um emprego novo nessa situação, ou só muito difícil? Não dava para saber.

Ellie bebericou o vinho e voltou sua atenção ao item *b. Posso ser presa/multada*. Bom, com certeza era uma possibilidade. Mas a verdade era que, se uma mulher mordesse um homem no ambiente de trabalho, haveria uma forte especulação de que o homem teria feito alguma coisa para merecer aquilo. Se, por exemplo, ela chegasse e mordesse o Corey na frente de todo mundo na reunião matinal de segunda-feira e depois, quando perguntassem por que tinha feito aquilo, ela respondesse "satisfação sexual", aí sim, ela provavelmente seria presa. Mas se ela mordesse Corey sem que ninguém visse, digamos, na sala da copiadora, e quando perguntassem por que tinha feito aquilo ela dissesse: "Ele tentou passar a mão em mim à força", ou, para não destruir a reputação dele, até mesmo: "Ele chegou por trás e me assustou; eu mordi por instinto, mil desculpas", aí as pessoas provavelmente lhe dariam o benefício da dúvida. Pensando bem, sendo uma jovem mulher branca sem antecedentes criminais, era provável que Ellie tivesse pelo menos uma carta de saída-livre-da-prisão. Se ela inventasse uma história um pouquinho razoável, as pessoas acreditariam.

Na realidade, Ellie pensou, esticando as pernas e enchendo mais uma taça de vinho, havia uma outra possibilidade de desfecho para isso tudo. E se ela procurasse o Corey em particular e o mordesse, e a experiência fosse tão bizarra que ele resolvesse não contar para ninguém porque nem ele conseguiria acreditar naquilo?

Imagina. Fim de tarde, depois das cinco. Já escureceu. Escritório vazio. Todo mundo foi embora, menos Corey e Ellie. Corey está colocando papel na máquina de xerox quando Ellie entra na sala. Ela fica em pé atrás dele, mais perto do que deveria. Ele pensa que sabe o que vai acontecer. Ele endurece, se preparando para rejeitá-la educadamente, não por respeito ao ambiente de trabalho, mas porque já está ficando com a Rachel do RH. "Ellie...", ele começa, num tom de desculpa, e aí ela agarra seu antebraço e o leva em direção à boca.

O rostinho bonito do Corey se contorce primeiro de susto, depois de dor. "Para com isso, Ellie!", ele grita alto, mas ninguém escuta. Os tendões de seu braço deslizam e estalam sob os dentes de Ellie. Por fim, Corey reúne suas forças e a joga longe. Ela cambaleia para trás, bate nas pilhas de papel xerocado e escorrega até o chão. Corey olha para ela horrorizado, segurando o braço cheio de sangue. Ele fica esperando uma explicação, mas Ellie não diz nada. Pelo contrário, ela se levanta calmamente, ajeita a saia e limpa o sangue da boca antes de sair da sala.

O que o Corey faz? É claro que ele poderia correr direto para o RH e dizer: "A Ellie me mordeu!", mas, no fim das contas, aquilo era uma empresa, não um jardim de infância. Aquela conversa inteira ia ser ridícula. "Ellie, você mordeu o Corey?", eles iam perguntar, e Ellie ia levantar a sobrancelha e dizer: "Eu? Não! Que pergunta esquisita". Se a equipe do RH insistisse e dissesse: "Ellie, essa é uma acusação séria", tudo que Ellie precisaria dizer seria: "É, seriamente maluca. É claro que eu não mordi o gerente e não sei por que ele está dizendo uma coisa dessas".

Na verdade, eram grandes as chances de Corey acabar não dizendo nada. Ele ia passar um tempo na sala da copiadora, refletindo sobre a situação, e aí, no dia seguinte, ele ia decidir que seria mais fácil fingir que nada aconteceu. Ele iria trabalhar de camisa de manga comprida para cobrir a ferida no braço, a pequena meia-lua que ela tinha feito com os dentes. E aí uma parte do cérebro de Corey ficaria encarregada de monitorar exatamente onde Ellie estava. Ela o pegaria encarando-a nas reuniões, e nas festas da empresa ele estaria sempre mudando de lugar, tentando ficar o mais longe possível dela; de certa forma, seria como se estivessem sempre dançando, mesmo se ele nunca mais falasse com ela. Meses depois, quando ninguém estivesse olhando, ela lançaria um sorrisinho e estalaria o maxilar em direção a ele, e ele ficaria pálido como um fantasma e sairia correndo da sala. Ele lembraria dela pelo resto da vida; eles estariam ligados pelos fios brilhosos de seu medo.

Mais tarde, naquela mesma noite, com o suor seco no corpo e as pernas enroladas nos lençóis, Ellie se obrigou a voltar para a sala e pegar o caderno. Fantasias eram fantasias, mas era importante manter pelo menos um pé na realidade. Ela voltou para a cama e abriu o caderno, e reescreveu a lista:

Motivos para não morder Corey Allen

1. É errado
2. É errado
3. É errado
4. É errado

Ellie levou o caderno para o trabalho e colocou a lista no fundo de sua gaveta. Sempre que a tentação de morder Corey Allen ficava forte demais, ela dava uma olhada nos itens. Ela inventou uma brincadeira, uma brincadeira chamada Oportunidade. Ellie *não* ia morder o Corey, mesmo que ela quisesse, e pensou que merecia alguma recompensa por esse esforço. Então, toda vez que ela se via numa situação em que *poderia* tê-lo mordido e não mordeu, ela se premiava com um ponto. Registrava a hora e o local em seu caderno, e colocava uma estrelinha ao lado. Um ponto por ter cruzado com ele na escada vazia. Um ponto por ter notado que ele entrou num banheiro individual e não trancou a porta imediatamente. Um ponto se, assim como acontecia em sua fantasia, ela o avistava entrando na sala da copiadora, sozinho, depois que todo mundo já tinha ido embora. Quando alcançava dez pontos, ela saía para tomar sorvete e, enquanto comia, se permitia fantasiar que mordia Corey Allen até dizer chega.

Depois de algumas semanas, Ellie notou algo interessante nas Oportunidades que tinha criado. Se fizesse um gráfico para ilustrar o número de Oportunidades que ela tinha conquistado ao longo do tempo, a linha começaria baixa e depois subiria de forma contínua conforme ela aprendia os horários de Corey Allen e identificava os melhores lugares do escritório para morder uma pessoa sem que ninguém visse. Mas aí, em meados de dezembro, houve uma queda dramática: os horários de Corey Allen ficaram imprevisíveis, e quando ele passava pelos lugares mais propícios, raramente estavam vazios. Os dados tinham ficado imprecisos, então Ellie demorou um pouco para perceber que a pessoa que estava com mais frequência nesses lugares era a Michelle do financeiro. Que era casada.

Ahmmm.

Quando chegou a hora da festa de fim de ano, brincar de Oportunidade já não tinha mais tanta graça. Ellie não queria fantasiar com a mordida que daria em Corey Allen; ela queria mordê-lo, e ficava louca porque não podia. Sim, às vezes você queria uma coisa e não podia tê-la. Mas também era verdade que às vezes as pessoas sabiam que o que queriam era antiético, mas seguiam em frente e faziam mesmo assim. Tipo transar com uma pessoa casada: era errado, mas as pessoas faziam o tempo todo. Ali perto estava o coitado do marido da Michelle do financeiro, por exemplo, vestindo uma suéter de Natal com estampa de azevinho. Imagina aquele cara sem conseguir dormir à noite, tentando entender por que a mulher ficou tão distante. Imagina a tristeza e a vergonha que ele ia sentir se vasculhasse as mensagens no celular dela e descobrisse uma série de conversas românticas entre sua mulher e Corey Allen, bem aquele que ela um dia tinha chamado de "gnominho bizarro". Com certeza a dor emocional que o marido da Michelle do financeiro ia sentir nessa situação *humilharia* a dor física de uma mísera mordidinha. Principalmente se Ellie mordesse Corey em algum lugar sem muitas terminações nervosas — as costas ou, vá lá, o bíceps.

Para com isso, Ellie, ela disse firmemente a si mesma. Não precisa devolver na mesma moeda. O Corey Allen é responsável pelo comportamento dele e você, pelo seu.

Mesmo assim, ela não conseguia deixar de olhar para ele circulando pela festa, jogando charme e distribuindo taças de ponche. Estava trocando olhares bem intensos com a Rachel do RH. A Michelle do financeiro devia estar morrendo de ciúme. Mas, até aí, o Corey Allen com certeza estava com ciúme do marido da Michelle do financeiro, então talvez essa fosse a intenção. Não era bacana da parte do Corey Allen flertar com a Rachel daquele jeito só para causar ciúme na Michelle. O Corey Allen era basicamente de quinta categoria.

Ellie ficou quieta, se perguntando se Corey Allen a notaria. O vestido que ela estava usando era justo, de veludo preto, e batia no pé: mais sensual do que as roupas que ela usava no trabalho, mas também meio fúnebre, não exatamente o tipo de coisa que chamaria a atenção de uma pessoa tão animada quanto Corey Allen. Agora Corey Allen estava do outro lado da festa, papeando com alguém que Ellie não conhecia, talvez a mulher de um dos colegas. Talvez Corey Allen tivesse sua própria versão de Oportunidade e premiasse a si mesmo por cada mulher que conseguisse fazer gargalhar e ruborizar.

Ellie se sentiu tomada por um desespero quase suicida. Qual era o sentido daquilo tudo? Talvez ela devesse morder o Corey Allen e se jogar de um penhasco.

Vai pra casa, Ellie, ela pensou. Você está bêbada.

Ela deixou o copo vazio na mesa ao seu lado e foi em direção ao banheiro individual para jogar uma água no rosto. Quando ela saiu, lá estava ele, sozinho no corredor, esperando Ellie: Corey Allen.

Ponto pra Ellie! Era uma Oportunidade de ouro. Ou seja, se não quisesse fazer nada de que pudesse se arrepender, ela tinha que ir embora.

"Oi, Ellie!", Corey Allen disse de um jeito alegre. "Achei que você estava indo embora! Não queria deixar você fugir sem dar tchau!"

"Eu só estava fazendo xixi", Ellie disse, e tentou passar rapidamente por ele.

Corey Allen jogou a cabeça para trás e riu, e Ellie se imaginou enfiando os dentes em seu pomo de adão como se fosse um pêssego. Que merda, Corey Allen, ela pensou. Eu tô tentando me controlar. Deixa eu passar.

"Espera, Ellie", Corey Allen disse, segurando seu braço. "Você está vendo aquilo ali? No telhado?"

"Quê?", Ellie disse, olhando para o alto por puro reflexo. E, quando ela fez isso, Corey Allen a agarrou, encostando os lábios nos dela e enfiando a língua em sua boca. Ela tentou empurrá-lo, mas ele conseguiu prendê-la com uma mão enquanto com a outra apalpava sua bunda. Para um gnomo, até que ele era bem forte.

Quando finalmente a soltou, depois do que pareceu uma eternidade, ela caiu para trás, sem ar, crente que ia vomitar.

"Que porra é essa, Corey?", ela disse.

Corey Allen deu uma risadinha.

"Eu achei que era um ramo de visco lá em cima!", ele gritou. "Ops! Desculpa aí!"*

Que péssimo, Ellie pensou. Pior do que levar uma mordida. Simplesmente ridículo.

Mas aí ela pensou: ah, então tá. Essa é a minha chance.

Embora não praticasse havia vinte anos, Ellie estava firme e confiava na própria mira. Ela abriu a boca como uma lampreia e avançou na parte alta da maçã do rosto dele, que se mostrou tremendamente crocante sob seus dentes. A mordida foi tudo que ela sempre sonhara. Corey gritou, se chacoalhou, a arranhou, mas ela não soltou; na verdade, ela moveu a cabeça para a frente e para trás três vezes, como um cachorro sacudindo um animal morto, e arrancou um pedaço do rosto dele.

Corey Allen caiu aos seus pés, segurando o próprio rosto e gritando.

Ellie cuspiu um naco de pele que estava na boca, e limpou o sangue dos lábios com as costas da mão.

Puxa vida.

Ela tinha ido longe demais.

Ele ia ficar deformado.

Ela ia pra cadeia.

Pelo menos ela ia guardar essa memória para o resto da vida. Ela ia aproveitar as horas de encarceramento para fazer desenhos apaixonados do rosto retorcido de Corey Allen nos segundos após tê-lo mordido, e ia colar os desenhos na parede da cela.

Por trás dela veio uma voz acusatória: "Eu vi o que aconte-

* Em alguns países do hemisfério Norte, uma tradição natalina pede que os casais se beijem "under the mistletoe", ou seja, ao passar por um ramo da planta que em português chamamos de visco. (N. T.)

ceu. Eu vi tudo". Era a Michelle do financeiro. Antes que Ellie abrisse a boca, a Michelle do financeiro lhe deu um abraço.

"Você está bem?", Michelle perguntou. "Eu lamento."

"Como?", Ellie disse.

"Foi abuso sexual", Michelle disse. "Ele *abusou* de você."

"Ah, sim!", Ellie disse, relembrando. "Foi mesmo!"

"Ele fez a mesma coisa comigo. Me seguiu até a escada e me agarrou. Mais de uma vez. Ele é o maior tarado. Eu vim aqui te avisar. Graças a Deus você conseguiu se defender. Você é muito guerreira, Ellie. Tem certeza que você está bem?"

"Estou bem", disse Ellie.

E ela estava mesmo.

Porque no final das contas Corey Allen tinha se aproveitado não só de Ellie, e não só de Michelle, mas de várias outras mulheres. A resposta do RH foi rápida e severa. Corey saiu da empresa, e Ellie não ganhou nem uma advertência; na verdade, ela acabou fazendo muito mais amigas no escritório.

Mesmo assim, ela pediu demissão depois de seis meses, porque queria começar do zero e, depois, passou a mudar de emprego todo ano. Porque, como Ellie descobriu muito rápido, havia um daqueles em toda empresa: o homem sobre o qual todo mundo cochicha. Ela só tinha que escutar, e esperar, e oferecer uma Oportunidade, e logo, logo ele a encontraria.

Agradecimentos

Lalise Melillo. Marc Shell. Biodun Jeyifo. Glenda Carpio. Bret Anthony Johnston. Jeff VanderMeer. Ann VanderMeer. Claire Vaye Watkins. Laura Kasischke. Peter Ho Davies. Eileen Pollack. Doug Trevor. Petra Kuppers. Helen Zell. The Hopwood Foundation. Clarion, Turma de 2014. Michigan MFA, Turma de 2017. Jenni Ferrari-Adler. Taylor Curtin. Sally Wofford-Girand. Deborah Treisman. Alison Callahan. Meagan Harris. Brita Lundberg. Jennifer Bergstrom. Jennifer Robinson. Carolyn Reidy. Jon Karp. Michal Shavit. Ana Fletcher. Emma Paterson. Joe Pickering. Carly Wray. Lila Byock. Michelle Kroes. Darian Lanzetta. Olivia Blaustein. Marion Grice. Jill Kenrick. Alison Grice. Carol Roupenian. Gary Gazzaniga. Armen Roupenian. Alex Roupenian. Elisa Roupenian Toha. Martin Toha. Vivian Toha. Jenn Liddiard. Melissa Urann Hilley. Liz Maynes-Aminzade. Lesley Goodman. Andrew Jacobs. James Brandt. Nick Donofrio. Schuyler Senft-Grupp. Christin Lee. Lucy Eazer. Ashley Whitaker. Ingrid Hammond. Callie Collins.

Obrigada.

ESTA OBRA FOI COMPOSTA PELO GRUPO DE CRIAÇÃO EM ELECTRA E
IMPRESSA PELA GRÁFICA BARTIRA EM OFSETE SOBRE PAPEL PÓLEN SOFT
DA SUZANO PAPEL E CELULOSE PARA A EDITORA SCHWARCZ
EM JANEIRO DE 2019

A marca FSC® é a garantia de que a madeira utilizada na fabricação do papel deste livro provém de florestas que foram gerenciadas de maneira ambientalmente correta, socialmente justa e economicamente viável, além de outras fontes de origem controlada.